〈미국 여행기 3: 미국 동부, 중부, 남부 / 캐나다 온타리오 주〉

그리움을 찾아서

송근원

〈미국 여행기 3: 미국 동부, 중부, 남부 / 캐나다 온타리오 주〉

그리움을 찾아서

발 행 | 2020년 4월 7일

저 자 | 송근원

펴낸이 | 한건희

펴낸곳 | 주식회사 부크크

출판사등록 | 2014.07.15.(제2014-16호)

주 소 | 서울특별시 금천구 가산디지털1로 119 SK트윈타워 A동 305호

전 화 | 1670-8316

이메일 | info@bookk.co.kr

ISBN | 979-11-372-0304-4

www.bookk.co.kr

머리말

이 책은 2016년 여름, 정년퇴임을 한 달 앞두고, 뉴욕, 뉴저지, 웨스트 버지니아 등 미국 동부와 노우스 캐롤라이나, 사우스 캐롤라이나, 조지아, 켄터키, 루이지애나, 인디애나, 일리노이, 위스컨신, 미시건 등 미국 중부와 플로리다 등 미국 남부에 있는 그리운 가족과 친구들을 찾아 떠난 여행의 기록이다.

뉴욕에서 일하고 있는 막내아들 내외와 손녀를 만나고, 옛 추억을 더듬어 30여 년 전에 살았던 웨스트 버지니아를 거쳐, 그때 함께 공부했던 친구인 윤OO 교수와 장OO 사장을 찾아 노우스 캐롤라이나와 플로리다를, 그리고 대학원 박사 과정에서 공부하는 목OO 교수와 배OO 교수의 따님들을 켄터키와 뉴욕에서 만나보고, 대학교 때 절친한 친구였던 대웅 김OO 선생을 만나러 시카고로 간 여행이었다.

그렇다고 자연의 경치를 즐기지 않은 것은 아니었다.

모르간타운의 풍광, 올란도의 디즈니월드, 테네시의 루비 폭포, 시카고의 밀레니엄 공원과 미시건호에서 본 해넘이, 오대호와 나이아가라, 그리고 뉴욕 주의 왓킨스-글렌 주립공원과 천 섬 등은 아직도 생생하다.

이 여행은 자동차를 빌려 약 30여 일간 미국 북동부, 중부, 남부, 중북부, 그리고 캐나다 온타리오 주를 거쳐 다시 뉴저지로 돌아오는 여정이었는데, 이 여행을 통해 가슴에 남아 있는 건 그리운 사람들을 만나는 설렘과 만났을 때의 기쁨, 그리고 이들이 베풀어준 훈훈한 사랑이었고 그 속에서 느낀 행복감이었다.

물론 그리운 사람들을 만나는 것은 한없이 기쁘고 즐겁고 행복하다. 그리고 다시 헤어질 때는 가슴에 이는 막막한 서글픔을 달래야 한다.

인생은 길지 않고, 인연은 짧다.

그러나 짧은 인연이라지만, 짧은 것만은 아니다.

그리운 이들끼리의 만남이 얼마나 자주 이루어질 수 있을까?

그것도 머나먼 미국 땅에 살고 있는 사람들과는 아무리 비행기가 발달하고, 통신기술이 발달하였다고 하더라도 자주 만날 수 없는 게 현실이다.

세월은 기다려주지 않는다.

내가 능동적으로 세월을 움직여야 한다. 더 늙기 전에 그리운 이들을 찾아야 한다.

그래서 미국 간 김에 용기를 낸 것이다. 덕분에 맛집을 찾아가며 맛있는 것도 먹고, 미국 동부, 중부, 남부, 그리고 캐나다까지 덤으로 잘 구경한 것이다.

가까운 거리에 있는 친구나 가족은 잘 있으려니라는 생각과 함께 언제든 가서 만날 수 있다는 생각 때문에 많은 세월이 흘러갔건만 보지 못하는 경우가 많다.

이제 가깝다고 소홀히 했던 가까운 곳에 있는 옛 친구들을 만나봐야겠다.

인연은 짧고, 인생은 더 짧기 때문이다.

2018년 7월 정리하고
2020년 4월 부크크에서 출간하다.
송원.

뉴욕 / 뉴저지
(2016년 7월 7일 - 7월 13일)

뉴저지

맨하탄

웨스트 버지니아 /
노우스 캐롤라이나
(2016년 7월 14일 - 7월 17일)

모르간타운

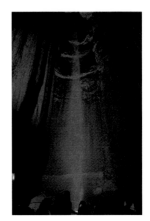

루비폭포

테네시 / 켄터키 / 인디아나
(2016년 7월 26일 - 7월 30일)

바하이 성전

일리노이 / 위스컨신
(2016년 7월 31일 - 8월 4일)

시카고: 미시건 호

캐나다 온타리오 주
(2016년 8월 5일 - 8월 8일)

토론토

나이아가라

뉴욕
(2016년 8월 9일 - 8월 15일)

왓킨스-글렌 주립공원

1. 아이는 세월을 측정하는 시계이다.

2016년 7월 7일(목)

　퇴직하면 미국에 있는 손녀를 보러 가겠다 했는데, 미국에선 8월 말에 이사를 해야 하니 그 전에 오라고 하여 부랴부랴 싼 항공편을 끊고 미국행 비행기에 오른 것이다.

　아니 미국행 비행기라기보다는 중국행 비행기이다. 왜냐면 일단 중국 북경으로 가서 미국행으로 갈아타야 한다.

　싼 항공편을 찾다보니 그렇게 된 것이다.

　중국국제항공(Air China)으로 김포-북경-뉴욕 편도인데, 일인당

김포 공항: 출국장

519,800원이니 아주 싼 값이다.

값이 싼 만큼 불편하기도 하다. 일단 북경으로 가야 하고, 거기에서 2시간 정도 기다렸다 뉴욕 행 비행기로 갈아타야 하니까.

아침 일찍 처형 집에서 나와 김포공항으로 간다.

공항엔 금방 도착하였다.

비행기는 9시 25분 출발하는 것인데, 공항엔 7시 반쯤 도착한다.

김포 공항은 참 오랜 만이다.

내부의 장식 등이 많이 바뀌었다. 큰 도자기 같은 조형물엔 사람 얼굴 무늬가 비치고, 한옥의 문을 형상화해 놓은 것이 벽의 한쪽을 차지하고 있다.

김포 공항: 도자기 조형물

1. 아이는 세월을 측정하는 시계이다.

김포 공항: 한옥 문

짐을 부치고 탑승 수속을 하고 나서도 시간이 많이 남는다.

왔다갔다 공항 구석구석을 살펴보다가 출국장으로 들어간다. 그리고 비행기에 오른다.

이륙하자 발밑으로 신정동 아파트들이 보인다.

9시 반에 이륙하여 11시 15분 북경 공항에 도착한다.

여기에서 2시간이 채 못 되게 기다려 오후 1시 비행기를 타야 한다.

창밖의 비행기도 구경하고, 공항 천정도 올려다보고…….

다시 비행기를 타고 1시에 이륙하여 뉴욕으로 향한다.

한국 시간으로는 7월 8일 자정인데, 이곳 시간으로는 7월 7일 오전 11시이다.

뉴욕 / 뉴저지

창밖으로는 캐나다의 눈 덮인 산봉우리가 보인다.

다시 존 에프 캐네디 공항에 도착한 것은 현지 시간으로 7월 7일 오후 3시 가까이가 되어서다.

밖으로 나오니 승아가 밝은이와 함께 기다리고 있다.

3년 전 우리 집에 왔을 때에는 기어 다니던 녀석이 모자를 쓰고 한껏 멋을 부린 채 할아버지 할머니를 기다리고 있다.

아이들은 세월을 측정하는 시계이다.

어느새 저리 컸는지!

우린 시간 가는 줄을 모른다. 그냥 그날그날이 변함없이 그렇게 지나가는 줄 안다. 달력만 바뀔 뿐.

중국국제항공 비행기

1. 아이는 세월을 측정하는 시계이다.

그러나 떨어져 있던 아이들을 보면 하루하루가 다르게 변해 있음을 본다.

그만큼 우린 늙어가는 것인데, 늙는 건 잘 모른다.

늙는 걸 잘 모르고 늙으니 그건 좋은 것이다.

그렇다고 아이들을 보는 것이 싫은 것은 아니다. 비록 우리가 늙었다

아들과 손녀

는 것을 일깨워주기는 해도 아이들은 귀여운 것이다.

모든 생명은 살아있을 시간이 많을수록 더 예쁜 것이다.

밝은이 차를 타고 승아네 집에 오니, 며느리가 반겨 맞는다.

2. 노소동락이 자연의 이치라구?

2016년 7월 8(금)

승아네 집은 허드슨 강 너머로 맨하탄이 보이는 뉴저지에 있다.

도시 이름이 웨스트 뉴욕이라서 뉴욕 주에 있는 듯싶지만, 뉴저지 주이다.

그러니까 웨스트 뉴욕은 '서쪽 뉴욕'이 아니라 '뉴욕 서쪽'이라고 번역해야 정확한 번역이 된다.

참 사람 헷갈린다.

승아를 데리고 밖으로 나와 산보를 한다.

삼 세대

허드슨 강 너머 맨하탄

승아는 재잘재잘 이곳 지리를 설명해준다.

"여기가 승아 수영장이구요. 저기는 공원인데……."

제법 존댓말까지 해 가면서 설명하는 걸 보면 정말 귀엽다.

어떻게 배웠는지 어린애들의 말은 놀랍도록 발전한다. 승아 말에 대꾸하다 보면, 정말 그 변화에 놀란다.

그리고 그것에서 새로움을 배운다.

반성을 곁들이며!

같은 시간일 텐데, 늙어가는 나는 무엇이 발전했을까?

같은 시간이라도 어린애와 늙은이는 변화와 발전의 속도가 다르다.

아이와 노인의 차이이다.

물론 어린애는 세상에 적응하여야 하니 빨리 배우고 빨리 받아들이지만, 이제 퇴물이 되어가는 늙은이는 새롭게 적응할 생각도 없고 그저 있는 대로 생각 없이 시간을 보내는 것이다. 늙는 것만 한탄하며!

그런데 그렇지만은 않다.

세상은 옛날과 달리 변화의 속도가 빠르다.

늙은이도 이 변화하는 세상에 맞추려면 끊임없이 그 변화를 받아들여야 한다. 인터넷이며 모바일 전화기며⋯⋯.

옛날 날 먼 옛날의 늙은이 같으면 그냥 있어도 되었겠지만, 현대의 늙은이는 바빠야 한다.

늙는 걸 한탄할 시간도 없다. 왜 이리 바빠졌는지 모르겠다.

그뿐이 아니다.

손녀 손자와 같이 놀아주려면 적어도 애들 수준에 맞추어 알 건 알아야 한다.

허드슨 강 너머 맨하탄

2 노소동락이 자연의 이치라구?

아이들 상대가 안 되면, 아이들이 먼저 시들해지는 법이다.

그러니 배워야 한다. 아이들 상대도 안 되면 그야말로 퇴물에 불과할 뿐이다.

노소동락이 자연의 순리이고 이치인줄만 알았더니 세상이 변한 것이다. 그 즐거움을 누리려면 그만큼 노력해야 하는 세상이 된 것이다.

에이구, 발전이 뭔지!

승아와 함께 승아가 다니는 수영장을 지나 도널리 추모공원(Donnelly Memorial Park)으로 다니면서 강 너머 뉴욕 시를 찍는다.

날씨는 매우 흐리다.

흐릿하지만 저쪽 뉴욕의 마천루들이 그림같이 아름답다.

엠파이어 스테이트 빌딩도 보이고, 911 때 무너진 빌딩 대신 세운 새 월드 트레이드 빌딩도 보인다.

공원에는 어린이 놀이터가 있고, 승아 또래의 아이들이 논다. 그리고

허드슨 강 너머 맨하탄

승아

허드슨 강 너머 맨하튼

2 노소동락이 자연의 이치라구?

나도 논다. 아니 노는 척하는 것이다.

아이들 따라잡기도 힘이 드니까, 그냥 숨바꼭질하면서도 조금씩 움직인다.

아이들은 참 에너지가 넘친다.

그렇게 뛰고 달리고, 놀이기구에 오르락내리락거리고 그래도 숨이 안 찬다. 이제 그만 집에 가자고 해도, 더 놀자고 조른다.

어쩔 수 없이 같이 노는 척한다.

그러지 않으면 아이들에게서도 왕따 당한다.

그러면 갈 곳이 없다.

3. 빈 하늘에 퍼지는 통곡소리

2016년 7월 9(토)

오늘은 점심을 먹고 자유의 여신상이 있는 리버티 주립공원으로 간다.

리버티 주립공원은 말 그대로 하면 자유 주립공원인 셈인데, 자유를 찾아 유럽에서 미국으로 이민 온 사람들이 대서양을 건너 처음 내린 곳을 기념하여 공원을 만들었기에 그런 이름이 붙여진 것이다.

중앙철도회사 철길들

주차장에 차를 세우고 길을 건너면 옛날 이민 온 사람들이 미 대륙 이곳저곳으로 갈 수 있는 수십 개의 철길과 함께 기차표를 끊었던 중앙철도회사 뉴저지 역사(Central Railroad of New Jersey Terminal)

중앙철도회사 철길들

중앙철도회사 뉴저지 역사

가 있다.

역사 앞쪽으로는 허드슨 강이 흐르며, 옛날 이민 온 사람들이 내려 이민 수속을 밟았던 엘리스 섬과 자유의 여신상이 있는 리버티 섬으로 가는 부두가 있고, 저쪽 강 너머로 맨하탄의 빌딩들이 보인다.

한편 역사 북쪽으로는 9.11 테러에 죄 없이 희생된 분들을 위로하기 위해 세워 놓은 '빈 하늘 위령비(Empty Sky Memorial)'가 서 있다.

이 비는 금속으로 된 두 개의 큰 벽처럼 세워져 있는데, 그 사이로 저쪽 맨하탄의 9.11 테러 때 무너진 세계무역센터 빌딩 자리에 새로 지은 건물이 보인다.

두 개의 금속 벽에는 그 당시 죽은 사람들의 이름이 새겨져 있다.

그 벽처럼 된 위령비 사이를 걸어가면 마치 통곡소리가 들리는 듯하다.

빈 하늘 위령비와 세계무역센터 빌딩

9.11 테러는 이 세계 대부분의 전쟁이 그러하듯 소수의 탐욕이 불러일으킨 비극이다.

서로 평화롭게 살면 안 되는가?

욕심은 결코 만족을 모른다.

욕심이 채워지면 더 큰 욕심을 일으키고, 그것이 결국 싸움을 일으킨다.

이 세상 어떤 사람들이 싸움을 좋아하겠는가?

싸움이 가져다주는 이익 때문에 소수의 탐욕자들은 싸움을 일으키고, 죄 없이 희생당한 많은 사람들을 대가로 그 과실을 따 먹는다.

평화는 모든 이들이 추구하는 것이지만, 욕심에 욕심을 더하는 데 익숙한 소수의 탐욕자들에게는 무의미한 것이다.

결국 조금 부족한 데서 멈출 수 있는 지혜가 필요한 것이다.

　조금 부족한 데서 남을 이해하고 돕고 그렇게 사는 것이 결국 인정이 살가운 낙원을 만들 수 있는 것 아닐까?

　역사로 들어가 보면 옛날 차표를 끊던 곳에선 이제 엘리스 섬과 리버티 섬으로 가는 배표를 끊어준다.

　물론 공짜는 아니다.

　공짜일 리가 있는가? 미국 사람들이 어떤 사람들인데…….

　오후에 왔기 때문에 자유의 여신상이 있는 리버티 섬으로 가는 크루즈는 내일 하기로 하고 주변 경관을 둘러본다.

　날씨가 흐릿하지만 강 건너 맨하탄의 마천루들은 비교적 잘 보인다. 새로 지은 세계무역센터 건물은 너무 높아서 그런지 꼭대기가 구름에 가려 있다.

뉴욕 맨하탄의 빌딩들

4. 먹을 거만 보면 반가우니까!

2016년 7월 9(토)

오늘은 자유의 여신상 가는 길을 대충 알아 놓고 그냥 리버티 공원에서 승아와 놀다가 저녁을 사먹고 들어가면 된다.

내가 해산물을 좋아하는 걸 알고, 밝은이가 뉴저지 주의 마운트 알링톤(Mt Arlington)에 있는 Pub 199라는 음식점으로 안내한다.

이 식당은 뉴욕과 필라델피아의 중간 지점이다. 뉴저지 주와 펜실바니아 주의 경계선 되는 곳에 있다.

주로 조개와 랍스터, 알라스카 대게 등을 파는 곳이다.

비교적 값이 싸고 먹을 만한 곳이라서 적극 추천한다.

여기를 알아둔다면, 자유의 여신상을 관광하신 분들이 저녁을 어디에

Pub 199

Pub 199 천정의 등

서 어떻게 먹을 가를 걱정하실 필요가 없다.

이름이 선술집이라는 pub이니, 잔 술잔이나 마시는 곳이라고 생각하면 오산이다.

조개와 게 또는 랍스터를 시킬 때 군 감자와 함께 시키면 그 감자만으로도 충분히 요기가 된다. 이 이외에도, 샌드위치도 있으니 전혀 걱정 안 해도 된다.

중요한 것은 정말 맛있는 곳이라는 것이다.

미국에서 내가 처음 방문한 맛집이다.

나야 리버티 공원에서 Pub 199까지 어찌 가는지는 잘 모른다.

다만 주변 도심 지역이 황폐하고 지저분하다는 것, 그리고 그곳을 지나 고속도로로 이리저리 가다보니 숲이 나타났다는 것, 그리고 도착했다

Pub 199

Daily Specials

2 Dozen Clams	$12.00
Lobster w/ Baked Potato	$16.00
2 Dozen Clams & Lobster w/ Baked Potato	$23.95
20 oz. N.Y. Strip w/ Baked Potato & Veg	$14.00
2 Dozen Clams & 20 oz. N.Y. Strip w/ Baked Potato & Veg	$21.95
T-Bone Steak w/ Baked Potato & Veg	$19.95
2 Dozen Clams & T-Bone Steak w/ Baked Potato & Veg	$29.95
Snow Crab Legs w/ Baked Potato	$13.95
2 Dozen Clams w/ Snow Crab Legs & Baked Potato	$22.95
King Crab Legs w/ Baked Potato	$24.95
2 Dozen Clams & King Crab Legs w/ Baked Potato	$33.95

Cold Sandwiches

Turkey Sandwich	$6.50
Roast Beef Sandwich	$6.50
Boiled Ham & Cheese	$4.50

Club Sandwiches (Triple Decker)

Pub 199: 메뉴

는 것밖에는 잘 모른다.

식당이 유명한 곳이라 아마 네비게이션에 "Pub 119"를 치면 잘 안내해주리라 믿는다.

도착하니 안개가 자욱한 숲 속에 식당이 자리 잡고 있다.

숲 속에 고즈넉이 안개에 둘러싸여 있는 식당 앞은 초등학교 운동장만한 주차장이 있다.

주차장에는 차들이 꽉 차 있지 않아서 쉽게 자리를 차지하고 앉을 수 있으리라 생각했으나, 들어가 보니 대기 줄이 늘어서 있다. 우리 앞으로 약 10명 정도가!

그렇지만 반갑다.

우린 먹을 거만 보면 반가우니까!

Pub 199: 조개

Pub 199: 랍스터

Pub 199: 승아

메뉴판을 보니 조개 24마리 한 접시에 12달러, 바다가재와 군 감자는 16달러, 24마리 조개와 바다가재와 군 감자는 23달러 95센트, 제일 비싼 것이 24마리 조개와 왕게(킹 크랩) 다리에 군 감자 곁들인 거가 33달러 95센트이다.

조금 기다리니 테이블로 안내해준다.

테이블마다 시끌벅적이고, 함박웃음이다.

풍족한 먹을거리를 두고 있으면, 먹지 않아도 엔돌핀이 솟는 건 백인이나 우리나 마찬가지이다.

집사람과 나, 밝은이 부부, 그리고 승아 다섯이서 이것저것 맛보기 위해 24마리 조개 세 접시와, 왕게 다리와 군 감자, 바다가재와 군 감자를 시켜 노나 먹는다.

정말 양이 많다.

여기에 술이 빠질 수는 없을 터!

포도주 두 병을 시켜 함께 먹는다.

실컷 먹었다.

역시 좋은 식당이란, 값이 싸고, 양이 많아야 하고, 맛이 있어야 한다.

동서양을 막론하고 고금의 진리이다.

5. 이상한 나라의 엘리스 섬?

2016년 7월 10(일)

오늘은 아침부터 서두른다. 자유의 여신상과 만나기로 한 날이기 때문이다.

그렇지만 리버티 아일랜드에 도착한 것은 딱 점심때이다.

오늘은 날씨가 맑고 햇볕이 매우 뜨겁다.

일단 표를 끊고, 밥도 못 먹고 배를 타기 위해 줄을 서 있는데 너무도 길다. 물론 새치기하는 사람도 있다.

여권과 소지품 등을 철저히 검사당하고 드디어 배 타는 곳으로 나온다.

얼마 안 되는 곳엘 가는데, 이런 까다로운 절차를 거쳐야 하나 짜증

엘리스 섬: 리버티 섬에 가는 배

진짜 자유의 여신

이 나기도 한다. 9.11 테러 따위가 발생하는 곳인 만큼 이런 절차를 이해 못하는 건 아니지만, 역시 소수의 나쁜 사람들 때문에 다수의 선한 사람들이 피해를 입는 것이다.

우리나라는 비록 남북이 대치되어 있지만, 이렇게 까다롭진 않은 다…….

결국 어찌되었든 시간이 흐르니 배에 타긴 탄다.

엘리스 섬(Ellis Island)에 들렸다가 리버티 섬으로 가는 배다.

엘리스 섬에는 그 옛날 자유를 찾아 유럽에서 건너온 사람들이 처음 도착하여 수속을 밟던 이민국이 있는 역사의 현장이다.

이 섬은 자유의 여신상이 있는 리버티 섬 북쪽 약 800미터에 있는 섬으로 1700년대 후반 이 섬의 소유자였던 새뮤얼 앨리스의 이름을 따

엘리스 섬: 이민박물관

서 명명된 섬이다.

그럼에도 불구하고 이 섬의 이름이 "이상한 나라의 앨리스"에서 온 것이라고 빡빡 우기는 사람이 있다.

미국이 건국되고 나서 유럽 이민들이 건너올 때 미국을 이상한 나라라고 여겼기 때문이라고 그럴듯하게 말을 하지만 전혀 사실이 아니다.

오해하지 마시라.

분명히 밝히건대, 엘리스 씨 소유의 섬을 1808년 미국 정부가 사들여 1892년 1월 1일부터 1954년11월 12일까지 미국으로 들어가는 이민자들의 입국 심사를 한 곳이 바로 이곳이다.

입국 심사를 왜 했냐고?

미국 연방법에 저촉된 자, 전염병자, 범죄자, 정신병자 등을 걸러내기

뉴욕 맨하탄의 빌딩들

위해서지!

새 나라를 건설하는데, 범죄자, 정신병자가 국민이 되면 좋겠나?

1965년엔 이 섬을 미국 역사의 살아있는 유적이라 하여 국보로 지정했다고 한다. 관리는 연방정부의 국립공원서비스에서 맡아서 하는데, 현재 이민박물관을 운영하고 있다.

박물관 안에는 낡은 사진들, 당시 이민자들이 입던 옷, 여권 따위가 놓여 있다.

엘리스 섬에 잠간 배가 멈추었으나 배를 타려고 늘어선 줄을 보니 내렸다가는 리버티 섬의 자유의 여신상을 만나지도 못할 것 같아 우린 내리지 않았다.

현명한 선택이었다.

시간이 많다면 이민박물관도 본다고 나쁠 거야 없겠으나, 배 밖의 늘어서 있는 줄—이 배를 타고 리버티 섬에 가려는 줄--을 보니, 내리고 싶은 마음이 안 드는 게 당연한 것이다.

이런 점에서 우리는 시간의 노예이다.

아니 주어진 시간을 잘 쓰는 현명한 사람들이다.

미국인들이야 지들의 역사이고, 지들 선조들이 어떤 옷을 입었는지, 당시 여권은 어떻게 생겼는지를 보아야 하니, 시간이 없더라도 내려서 보아야 하겠지만, 우린 다른 것이다.

우리가 보아야 구질구질하지 뭐 별 거 있겠나? 신기한 것도 아니고.

이러니 사람마다 다 다른 것이다. 다 다른 사람이니 다 다르게 시간을 사용하여야 하는 것이다. 그래야 서로 현명하다는 소리를 듣는다.

6. 자유의 여신상

2016년 7월 10(일)

배 뒤쪽으로는 뉴욕의 맨하탄 건물들이 보이고 자유의 여신상이 배 오른편으로 보인다.

녹색 가운을 걸치고 머리에는 7개의 대륙을 나타내는 뿔이 달린 왕관을 쓰고, 오른손으로는 노란 황금빛 횃불을 들고, 왼손에는 독립 선언서를 들고 있는, 우드 요새(Fort Wood) 위에서 바다를 바라보는 동상이다.

이 동상은 구리로 만들어져 있었기 때문에 처음에는 붉은 빛을 띠고 있었으나 점점 녹이 슬어 녹색을 띠게 되었으며, 횃불도 처음에는 등대로서 구실하였으나, 등대 기능을 상실한 후 1985년 수리하면서

자유의 여신상

자유의 여신상

금으로 도금을 해버렸기 때문에 노랗게 빛나는 것이다.

여신상은 원래 등대로 만들어졌기 때문에 뉴욕 항을 향하고 있으
며, 여신이 들고 있는 횃불이 등대의 역할을 해야 했는데, 이 빛이 오
히려 구름에 반사되어 선박 운항에 방해가 되었기 때문에 나중에 등대
로서의 기능은 없어지게 되었다고 한다.

당시 자유를 갈구하여 이민 온 사람들에게는 등대로 쓰인 이 횃불
이 구원의 불로 여겨질 만하다.

그러나 바다가 넓어서 그런지 크게 느껴지진 않는다.

자유의 여신상은 프랑스 국민들이 미국의 독립 100주년을 기념하
여 미국에 기증한 것이다.

프랑스인들은 불미 친선을 도모하기 위해 모금운동을 전개하여 약

40만 달러를 모아 이 동상을 만들었다고 한다.

모금하기 위해 프랑스 정부는 복권을 발행하고, 1878년 파리에서 열린 세계박람회에서 완성된 머리 상(像)을 전시하여 기부금을 받았다 한다.

자유의 여신상 본체는 동판을 두들겨서 모양을 내고 에펠탑으로 유명한 건축가 에펠 씨가 고안한 4개의 대형 철근으로 만든 뼈대 위에 조립한 것이다.

1884년 프랑스 파리에서 완성하였으나, 이를 운반하기 위해 다시 214개 조각으로 분해하여 프랑스 군함에 싣고 와 이곳에서 다시 조립한 것이다.

1886년에 완공된 이 동상은 미국의 자유와 민주주의를 상징하며, 유럽에서 자유와 기회를 찾아 이민 온 이민자들에게는 희망의 상징이기도 했을 것이다.

1924년 국립기념물로 지정하였고, 1984년에는 유네스코 세계문화유산에 등록되었다.

높이가 46.1미터이고 무게는 225톤이라는데, 바다에서 본 여신상이 그렇게 커 보이지는 않는다.

받침대 부분은 〈뉴욕 월드〉지의 사주인 조지프 퓰리처가 기금 모금 캠페인을 벌여 미국 국민들의 기부금으로 만들었다고 한다.

여신상 내부는 발코니까지는 엘리베이터로 올라가지만, 거기에서부터 전망대인 머리 부분까지는 162개의 나선형 계단이 설치되어 있다.

이 내부로 올라가 전망대를 구경하려면 조건이 좀 까다롭다.

우선 미리 인터넷으로 더 비싼 티켓을 예약해야 하고, 키는 4피트

30

(122cm)이상이어야 한다. 또한 혼자서 계단을 오를 수 있어야 하며, 내부로 들어서기 전에 또 한 번의 보안 검색을 거쳐야 하는데 반드시 사진이 붙어 있는 신분증이 있어야 한다.

이곳을 보려면 반드시 잊지 말고 여권을 지참하시라! 키도 키우시고!

예약도 미리미리 3개월 전에 해야지만 가능하다고 한다. 한국서 가시는 분은 인터넷으로 3개월 전에 미리 예약을 해 놓아야 안심할 수 있다.

우린 여기 와서야 이 사실을 알았기 때문에, 그 안으로 들어갈 수가 없었다.

그렇다고 뭐 별로 섭섭하진 않다.

실제로 이런 어려운 과정을 겪어 자유의 여신상 뱃속에서 전망대까지 올라간 본 사람 이야기로는 '다리만 아프고, 허무하다'라는 것이었으니까.

허긴 예약을 했더라도 승아 키가 4피트가 안 될 테니 데리고 올라가기는 애초부터 그른 것이다.

참, 한 가지 더 있다. 여신상 뱃속으로 들어갈 때에는 절대로 음식물을 들고 들어가서는 안 된다는 것!

생수 외의 모든 음료수 및 음식물은 검색대에서 전부 압수당하기 때문이다.

혹시라도 음식물을 가지고 있다면 검색대 옆의 물품보관함에 보관하면 되기는 한다.

그렇지만 보관함 비용이 엄청 비싸서, 음식물 가지고 간 사람들 이

리버티 섬에서 본 허드슨 강 너머

야기로는 그걸 억지로 먹느라 혼났다고 한다. 어떤 사람은 비싼 보관
료 내기 싫어서 그냥 쓰레기통에 넣어버린 사람도 있고.

그러니 안 가지고 가는 게, 돈 절약하고 마음 안 아픈 일이다. 버
려 봐라. 얼마나 아까운가!

어찌되었든 요로코롬 검색이 강화된 이유는 미국이 테러의 목표물
이 되는 나라이기 때문이다.

실제로 2001년 9월 11일 발생한 9·11 테러 이후 안전을 위해 이
전망대를 폐쇄하였으나, 2009년 7월 4일 독립기념일에 맞추어 약 8
년 만에 다시 열어 놓으면서 여신의 왕관까지 갈 수 있는 인원을 시
간당 30명, 하루 240명으로 제한한 것이다.

이 동상은 시간이 흐름에 따라 녹이 스는 등의 문제가 발생하여

수리 작업이 국가적 사업으로 추진되기도 했는데 최소 1~2년의 공사 기간이 소요되었다 한다.

자유의 여신상이 서 있는 받침대는 11개의 꼭짓점을 가진 별 모양의 요새이다. 이 요새는 해안선 방어를 위해 1806년도부터 건설하기 시작하여 1811년에 완성되었는데, 11개의 보루로 만들어져 있어 랜드 베터리(Land Battery)라 불렀다.

별 모양의 이 랜드 베터리는 1813년 이리 호 전투에서 전사한 엘리져 데르비 우드 중위(Lt. Col Eleazer Derby Wood)의 이름을 따서 "포트 우드(Fort Wood)"로 이름지었는데, 여신상의 받침대가 되는 바람에 군사기지로서의 기능은 없어지게 되었다.

리버티 섬은 본디 굴 군락지여서 처음에는 '굴 섬(Oyster Islands)'이

리버티 섬에서 본 맨하탄

라고 불렀는데, 자
유의 여신상이 들
어서면서 리버티
섬으로 불리게 되
었으며 1956년에
야 비로소 미국 의
회의 승인을 받아
정식 명칭이 되었
다고 한다.

자유의 여신상

리버티 섬에 내
려, 섬을 빙 돌아가
면서 구경한다. 북
동쪽으로 마천루들
이 보인다.

어차피 여신의
뱃속으로는 못 들
어가니 여신상 주
변을 한 바퀴 돌아보는 수밖에 없다.

그래도 여기 왔으니 증명사진은 찍어야 한다.

그런데 웬 사람들이 그리 많은지!

걸리적거리는 사람들 사이로 우리 가족들 사진을 간신히 찍는다.

참고로 페리하는데 드는 돈이 아까운 분은 스테이튼 아일랜드의 세인
트 조지(St George)에서 맨하탄을 잇는 무료 출근 페리가 있다고 하니

한 번 이용해 보시길!

물론 이 경우엔 리버티 섬으로 들어가진 않는다. 배 위에서 자유의 여신상을 보는 것으로 만족해야 한다.

그렇지만 요즈음 들리는 소문에 따르면, 출퇴근하는 사람들보다 관광객이 더 많다고 한다.

경비를 아낄 수 있는 또 다른 팁 하나 더!

뉴욕 시티 패스(city pass)를 사면 뉴욕의 여섯 군데 관광지 입장권을 어른 116달러, 아동 92달러에 판다.

곧, 시티 패스엔 1) 엠파이어 스테이트 빌딩 86층 전망대, 2) 메트로 폴리탄 미술 박물관(Metropolitan Museum of Art), 3) 자연사박물관 (American Museum of Natural History), 4) 9/11 박물관(9/11 Memorial & Museum)이나 두려움을 모르는 바다, 하늘, 우주 박물관 (Intrepid Sea, Air & Space Museum) 중 하나, 5) 구겐하임 박물관 (Guggenheim Museum)이나 록펠러센터 전망대(Top of the Rock Observation Deck) 중 하나, 6) 리버티 섬으로 가는 페리(Statue of Liberty & Ellis Island), 또는 서클 라인 관광 쿠르즈(Circle Line Sightseeing Cruises)를 타고 구경할 수 있는 표가 들어 있다.

이 가격은 거의 50% 정도 할인한 가격이므로 여섯 군데 중 세 군데 이상만 구경해도 본전은 된다고!

더욱이 표 사려고 길게 늘어서서 1시간 이상 기다릴 필요가 없어서 좋다.

가격은 변할 수 있으므로 http://www.citypass.com/new-york를 체크할 것!

6. 자유의 여신상

7. 뉴욕 야경

2016년 7월 11일(월)

오늘 낮에는 승아와 놀고, 저녁때 맨하탄 구경을 하러 나섰다.

대구대 배 교수 따님인 은○이가 뉴욕에서 공부를 하고 있다 하여 여기 머무는 동안 만나서 격려도 하고 저녁도 사주고 싶어 연락을 한 것이다.

옛날에는 뉴욕이 험악하여 잘 다니질 못 했는데, 요즈음에는 치안 상태가 아주 좋아진 모양이다.

브로드웨이 한인 타운에 있는 가온누리 식당에서 만나기로 했다. 우리 아메리카은행 빌딩 39층이다.

여기에서는 맨하탄의 마천루들이 잘 보인다. 전망이 좋다. 바로 옆에

가온누리에서 본 뉴욕의 마천루들

엠파이어 스테이트 빌딩   엠파이어 스테이트 빌딩 야경

는 엠파이어 스테이트 빌딩도 있고, 수많은 고층빌딩들을 감상할 수 있다.

은○이가 우리를 위해 이곳을 약속장소로 잡은 것이다.

식사를 할 때쯤 되어서는 마천루에 불이 들어오기 시작한다. 뉴욕의 야경을 여기에서 감상할 줄이야!

이런저런 이야기를 하면서 야경을 감상하며 식사를 한다.

야경은 언제 보아도 아름답다. 그것이 미인의 화장발처럼 조명발 때문이겠지만!

물론 대낮의 마천루들 역시 나름대로 볼만하다. 그렇지만 밤에는 휘황찬란한 불빛들이 사람들을 유혹한다.

사실 수십 년 동안 밤에 도심으로 나와 본 적이 거의 없다. 아니 밤으로 나와 본적이 거의 없다.

대학 다닐 때에는 밤낮없이 그렇게 쏘다녔건만, 결혼 후 직장을 잡고 갈아가는 동안 해지고 난 후 밖으로 나와 본 적이 거의 없는 것이다.

그렇다고 삶이 팍팍하고 재미없었던 건 전혀 아니지만, 밤하늘의 별을 본 적이 언제든가? 도심의 불빛 속을 돌아다녀 본 적이 언제든가? 참으로 까마득한 옛날 아니던가!

그나마 여행을 하게 되니 이런 밤의 야경을 감상할 줄도 알게 되는 것이다. 물론 여기는 뉴욕이니 밤의 뉴욕을 보는 것이긴 하다.

그렇지만, 사막 여행이나 외딴 섬 여행에선 그동안 보지 못했던 노래 가사처럼 별이 쏟아지는 밤하늘을 볼 수 있는 것이다.

뉴욕의 밤거리 　　　　　　　뉴욕의 밤거리

뉴저지에서 보는 뉴욕 야경

뉴저지에서 보는 뉴욕 야경

7. 뉴욕 야경

그래서 여행이 좋은 것이다. 일상에서 벗어나게 해주니까.

식당에서 나와 은○이와 헤어진 후 버스를 타기 위해 브로드웨이를 걷는다.

밤 9시 가까이 되었는데도 사람들이 많다.

옛날 유학 시절 뉴욕과는 전혀 다른 모습니다.

옛날 1984년이던가 처음 뉴욕을 방문했을 때에는 정말 험악했다.

뉴욕 전철 차량에 쓰인 낙서며 지저분한 그림들, 신호 대기하는 자동차에 다가와 지저분한 걸레로 앞 유리창을 닦는 척하며 돈을 강요하던 시커먼 사람들, 그리고 뉴욕의 어떤 지역엔 낮에도 들어가면 안 되다는 주의를 수없이 들었던 시절이었다.

그 당시에는 컴컴해지면 집안에 틀어박혀 있는 것이 가장 안전한 시절이었다.

지금은 치안이 많이 좋아진 것이다.

많은 사람들이 이렇게 한 밤중에도 돌아다니고 있어도 끄떡없으니 말이다.

몇 십 년이 지나면서 변화가 이루어진 것이다.

시간의 힘은 위대하다.

브로드웨이를 거슬러 다시 버스를 타고 뉴저지로 돌아온다.

뉴저지에서 허드슨 강 너머로 보이는 맨하탄의 야경 역시 아름답다.

8. 유명도 한때다.

2016년 7월 12일(화)

벌써 뉴욕에 온지 5일이 지났다.

아침 식사 후, 승아를 데리고 포트 리 역사 공원(Fort Lee Historical Park)으로 간다.

역사 공원이라고 하니 역사적 의미는 있겠으나, 공원 자체는 볼 만한 게 없다. 서쪽으로 절벽이 있고 오른쪽으로는 허드슨 강이 흐르는데, 공원은 그저 어린이 놀이터에 불과할 뿐이다.

이 공원은 허드슨 강을 사이에 두고 뉴저지와 맨하탄을 잇는 조지 워

조지 워싱턴 다리에서 보는 맨하탄

싱턴 다리(George Washington Bridge) 밑에 있다.

그런데 운전을 잘못하여 이 다리를 건너가게 되었고, 결국 15달러의 통행료를 바칠 수밖에 없게 되었다.

무슨 다리 하나 건너는데, 15달러나 받나?

문제는 15달러가 아니라, 잘못 건너온 다리를 다시 건너가야 하는데 지리를 몰라 빠꾸할 수 없었다는 데 있다. 유턴도 안 되고 어찌 강변도로로 계속 나아가기만 할 뿐이니……

이날 고생 좀 했다.

이 다리는 1931년 만들었다는데, 당시에는 세계에서 제일 긴 현수교(懸垂橋)였다 한다. 지금은 턱도 없지만!

유명도 한때다.

당시에는 아무리 유명한 것이라도, 세월 앞에서는 전혀 맥을 못 추는 법이다. 흐르는 세월은 그 유명세를 앗아가 버리는 것이다.

어찌되었든 이 다리는 미국에서 가장 왕래가 잦은 다리라는데, 원래 6차선으로 건설되었지만, 앞으로 더 교통량이 늘어날 것을 예견하여 확장이 용이하도록 설계되었다 한다.

요런 점은 본받을 만하다.

그리고 실제로 1946년 2차선이 더 증설되었다. 이 다리는 현재 뉴욕 맨하탄 섬 북부 워싱턴하이츠(Washington Heights)와 뉴저지 주 포트리(Fort Lee)를 잇는, 길이 1,450미터, 폭 36미터, 높이 184미터의 다리이다.

이 다리는 하루에 30만대 이상의 차들이 이용하고 있다는데, 문제는 다리를 건너는데 15달러라는 거금을 내야 한다는 것이다.

물론 이 돈은 왕복 요금이라서 돌아올 때는 안 내도 된다.

이렇게 돈을 받게 된 데에는 이유가 있다. 처음 이 다리를 만들 때 예산이 턱없이 부족했기 때문에 부족한 예산을 채우기 위해 뉴욕과 뉴저지는 통행료를 징수하기로 한 것이다.

처음에는 자동차 무게에 따라 통행료를 받았는데(자전거, 오토바이는 물론, 사람도 무게가 나가니 다리를 건널 때는 통행료를 바쳐야 한다), 제일 무거운 트럭의 경우 최저 1달러였으나, 계속 올라 2015년 말에는 15달러가 된 것이다.

부족했던 예산은 벌써 메우고도 남았을 텐데 계속 통행료를 받는 까닭은 징수된 통행료가 뉴욕과 뉴저지 주 정부 및 이를 관리하는 항만청

조지 워싱턴 다리

8. 유명도 한때다.

의 주 수입원이기 때문이라고 한다.

아무리 돈이 좋아도 그렇지!

고얀 놈들이다.

돈을 올려 받지 않으면 맨하탄의 교통체증도 심해지고, 그보다는 다리도 견디지 못할 것이라는 주장도 있다.

그러니 통행료를 더 올려야 다리도 보호하고, 맨하탄의 교통도 빨라져서 소비자들에게 좋고, 주 정부와 항만청 수입도 늘어나니 일석삼조라는 주장이다.

돈으로만 통제하고 이익을 보려는 자본주의 사회에서 나타나는 폐해의 일면을 보는 듯하다.

뉴욕과 뉴저지 주 정부 및 항만청은 사실 허가받은 날강도나 다름없는 것이다.

사람들이 잘 살기 위하여 주 정부를 구성하고 항만청을 만들었지만, 만들어진 기관들이 이제는 뉴욕과 뉴저지를 오가는 운전자들의 호주머니를 털어가고 있기 때문이다.

여기에 우리도 걸려들어 시간만 허비하고 15달러를 공손히 받친 것이다.

다시 돌아와 포트 리 역사공원으로 간다.

이 공원은 로스 닥 피크닉 에어리어(Ross Dock Picnic Area)와 연결되어 있다.

그런데 로스 닥 피크닉이라니, 로스구이할 오리들이 소풍 나오는 곳인가?

이런 말 했다간 큰일 난다. 로스구이는 ross가 아니라 roast이고, 오리는 dock가 아니라 duck이기 때문이다.

그렇지만 여기엔 야생 오리들도 많이 돌아다닌다. 그러니 '로스 닥 피크닉 에어리어'라는 말만 듣고는 오해하기 딱 십상이다.

여기는 어린이 놀이터도 있고, 쉬기에는 안성맞춤이어서 도시락 싸갖고 도시락 까먹으러 피크닉 오는 사람들이 제법 있다.

승아는 신이 났다.

지를 봐주는 눈들이 늘어났으니…….

누구나 관심을 가져주면 기분이 좋은 법이다. 때로는 그것 때문에 부담을 안게 되는 경우도 있으나 그건 훌쩍 큰 다음 이야기이고, 승아 나이에는 지만 쳐다봐줘도 좋은 것이다.

공원에서 나와 점심을 먹고 이제는 자동차를 빌리러 페어뷰의 베르겐 대로에 있는 렌트카 회사, 〈Enterprise-A-Car〉로 간다.

〈바다이야기〉에서 먹은 회

8. 유명도 한때다.

〈바다 이야기〉에서 먹은 회

　요 며칠 동안 주내와 함께 미국에 머물면서 해야 할 일을 의논 한 결과, 아들 내외와 승아를 데리고 가족 여행을 하기로 한 것이다.

　그렇지만 밝은이는 8월 11일부터 휴가를 얻기로 되어 있다 하니, 가족 여행은 8월로 미루어 놓고 그때까지 차를 빌려 한 달 동안 미국 동부 남부 중부 지역을 여행하기로 한 것이다.

　곧, 뉴저지에서 웨스트버지니아, 노우스 캐롤라이나, 사우스 캐롤라이나, 조지아, 플로리다로 갔다가 다시 북상하여 테네시, 켄터키, 인디아나, 일리노이, 위스컨신를 거쳐 캐나다로 들어가 토론토를 거쳐 뉴욕으로 돌아오는 약 한 달간의 여정이다.

　제일 작은 차를 956달러에 7월 13일부터 8월 11일까지 약 한 달 동안 빌리기로 계약한다.

계약이 끝난 후, 오늘 저녁은 일식을 먹기로 했다. 오랜만에 생선회를 맛보려는 것이다.

〈바다이야기〉라는 일식집으로 간다.

여기엔 한국 사람들만 득실득실하다.

유명한 우리나라 야구 선수 K를 보았다. 유명한 야구 선수를 만나기는 처음이다.

돈은 좀 들었지만 맛있게 잘 먹었다.

8. 유명도 한때다.

9. 맨하탄의 뜻

2016년 7월 13일(수)

아침 일찍 일어나 사진기를 들고 산보를 한다.

승아와 엊그제 놀던 도널리 추모공원으로 간다.

이 공원은 허드슨 강 너머 맨하탄의 마천루를 감상하기 아주 딱 좋은 포인트다. 아침 새벽의 경관도 좋고 밤의 야경도 정말 좋다.

숲은 어느 정도 멀리서 보아야지, 그 안으로 들어가면 숲을 볼 수 없다.

마찬가지이다.

여기에서 보아야 맨하탄의 마천루들을 전체적으로 잘 볼 수 있다. 비록 겉만 보는 것이라 할지라도!

뉴저지 주 도널리 추모공원에서 본 맨하탄

맨하탄으로 들어가면 마치 나무 하나하나를 보듯 거대한 빌딩들만 하나씩 보일 뿐이다.

맨하탄을 전체적으로 조망하려면 여기에서 볼 것을 추천한다.

동쪽에서 동이 터오를 무렵의 맨하탄 사진을 찍는다.

맨하탄은 인디언 말로 많은 땅이라는 뜻이다. 곧, '맨하'는 '많은'이란 뜻이고, '탄'은 '땅'과 같은 무리의 말이다.

백인들이 미국 대륙으로 기어들어와

"여기가 어딘고?"

하고 묻자, 인디언들이

'많으 땅, 많으 땅'이라 한 것을 '맨하탄'으로 알아들어 그렇게 된 것이다.

아메리카 인디언들은 동이족의 한 갈래이다.

뉴저지 주 도널리 추모공원에서 본 맨하탄

실제로 아메리카 인디언들은 신체적으로나 언어적으로 우리 민족과 친연관계에 있다.

이들은 약 2만 년 전 빙하기 때 알라스카를 넘어 아메리카 대륙으로 들어갔다고 하는 설도 있고, 1000여 년 전 발해가 멸망하면서 발해 유민들이 캄차카 반도를 지나 알류산 열

뉴저지 주 도널리 추모공원의 동상

도를 통과하여 들어갔다는 설도 있고, 인도와 동남아에서 태평양을 건너 이주했다는 설도 있다.

어떤 설이 진짜인지는 모르나 다 일리가 있는 듯하다, 아마도 어쩌면 이들이 모두 맞는 설일 수도 있다.

어찌되었든, 이곳 도널리 추모공원은 맨하탄을 조망하기가 아주 좋은 곳이다.

이곳에는 어린이 놀이기구가 있어 승아의 단골 놀이터가 된 곳이다.

공원 한 가운데에는 저울을 든 여인이 맨하탄 쪽, 더 정확하게는 9.11

뉴저지 주 도널리 추모공원에서 본 맨하탄

테러가 이루어진 세계무역센터 쪽을 바라보고 있는 동상이 서 있다.

이 동상은 정의가 샘솟는 여인(Lady Justice and Fountain)으로서 2001년 9.11 테러 당시의 희생자와 영웅들을 기리기 위해 웨스트뉴욕에서 만든 동상이다.

10. 지나간 순간은 다시 오지 않는다.

2016년 7월 14일(목)

새벽에 출발하여 모르간타운으로 향한다. .

웨스트버지니아 주의 모르간타운으로 가서 옛날에 공부하던 웨스트버지니아대학과 옛날 살던 컬리지 파크를 둘러보며 학창시절을 회상하고, 남쪽으로 내려갈 예정이다.

모르간타운 가는 길은 옛날과 변함이 없는듯하다. 좌우의 숲 등이 눈에 익은 듯하다.

산천은 의구한데, 우리는 늙었구나!

모르간타운에 도착한 것은 5시가 넘어서였다.

일단 제일 먼저 찾은 곳은 웨스트버지니아 대학의 우드번 홀(Woodb

모르간타운 가는 고속도로

웨스트 버지니아

urn Hall)이다. 30여 년 전 공부하던 곳이니 제일 먼저 둘러보고 싶은 곳이기 때문이다.

우드번 홀로 들어가니, 몇 년간 여기에서 공부하였음에도 불구하고 모든 것이 생소하다. 이렇게 천정이 높았는가? 이렇게 강의실이며, 연구실 등이 고풍스러웠는가?

30여 년 전에는 전혀 느끼지 못한 것이 이상하다. 내가 여기서 공부를 했던가? 2층, 3층으로 올라가 옛날 행정실과 교수실, 강의실 등을 둘러본다. 모든 것이 새삼스럽다.

벌써 시간은 5시가 넘었으니 사람이 없다. 교수실 등을 둘러보니 전부 모르는 분들의 이름이 적혀 있다.

웨스트버지니아대학 우드번 홀과 교수실, 연구실 등

웨스트버지니아대학 본부 건물

그 가운데 낯익은 교수 이름이 보인다. 닥터 디클레리코(Ph.D.
Diclerico) 교수다.

이 분은 대통령학의 권위자이다. 30여 년 전 공부할 당시 이 분 역시
나의 박사 논문 심사위원 중의 한 분이었고, 박사 논문 쓰는데 많은 도움
을 주신 분이다.

반가움에 문을 두드렸으나 문은 굳게 잠겨 있다.

그 옆방에는 마침 젊은 여자 교수 한 분이 아직도 책상 앞에 앉아 일
을 하고 있다.

이름이 뭐랬더라?

반갑게 인사하며 내 소개를 하고, 디클레리코 박사의 안부를 묻는다.

이 젊은 여 교수 말이 디클레리코 박사는 벌써 정년퇴임하시고 석좌

교수로 아직까지 남아 계시는 거다. 일주일에 한 번 쯤 학교에 나오신다고 한다.

결국 옛 건물에 와보긴 했으나, 아는 사람은 만날 수 없다.

세월이 많이 흐른 것이다.

쓸쓸히 나와 우드번 홀 뒤쪽을 내려다본다. 저 아래쪽으로 PRT (Personal Rapid Transit) 역이 보이고 그 너머로 강이 보인다.

이렇게 경치가 아름다울 수가!

예전에는 전혀 느껴보지 못한 느낌이다. 보이지 않던 것이 보이는 것이다.

세월이 흐르면서 새로 생겨난 경치는 분명 아니다.

그런데, 왜 그 당시에는 이리 아름다운 것을 느끼지 못했던가?

학교 캠퍼스는 옛날 그대로인 듯한데, 여기가 이렇게 아름다운 곳인 줄은 오늘에서야 알았다. 아니 모르

웨스트버지니아대학 PRT와 강

웨스트버지니아대학 컬리지 파크

간타운이 이리 아름다운 도시라는 건 예전엔 전혀 생각지도 못했던 것이다.

그 당시에는 공부하느라 온갖 정신이 거기에만 쏠려 있었던 모양이다. 주변 경치도 즐기지 못하고!

사람이 한 곳에 집중하다보면 다른 것들을 놓치는 법이다.

이젠 모든 것이 추억이 되어 버렸다.

젊은이들에게 얘기해 주고 싶다. 무엇이든 즐기며 하라고! 그것이 공부이든 일이든.

순간 순간을 즐겨야 하는데, 지나간 순간은 다시 오지 않는다.

후회는 아니지만, 이런 좋은 곳에서 살며 공부를 했는지 까마득하다.

이제는 차를 타고 옛날에 살던 언덕 위의 컬리지 파크(college park)

웨스트 버지니아

로 간다. 학교 아파트가 있는 곳이다.

올라가 보나 모든 것이 생소하다. 길도, 집도!

옛날의 낡은 이층 아파트는 없어지고, 대신 4층의 깨끗한 아파트가 들어서 있다.

옛날 내가 살던 곳이 아마 이쯤 될 거야. 막연히 추측을 해보지만 옛 흔적은 전혀 남아 있지 않아 생소할 뿐이다.

나는 더 이상 이곳의 주인공이 아니고 손님일 뿐이라는 사실만 깨닫는다.

다시 밑으로 내려오면서 당시 지하실 방을 빌려 한글학교를 했던 감리교 교회를 찾는다.

이 교회 역시 옛날 그대로 우뚝 서 있다. 그 앞으로 난 길에는 옛날

모르간타운 감리교회

10. 지나간 순간은 다시 오지 않는다.

처럼 책방과 잡화점들이 있고,

박사 논문을 쓰면서도 우리 2세들을 위해 교회 지하실에 한글학교를 만들어 놓고, 대사관에 연락하여 한글 교재를 지원받고, 아이들을 가르치던 일이 생각난다.

학교 캠퍼스를 돌아 에반스데일 캠퍼스 쪽으로 간다.

이 캠퍼스는 그 옛날에도 몇 번 와보지 않아 더더욱 모르겠다. 어디에 뭐가 있었는지를!

거리는 옛날과는 달리 많이 변화해진 듯하다만…….

저녁을 먹고 사라토가 애버뉴의 호텔 M에서 하루를 묵는다. 하룻밤 숙박비는 61.60달러이다.

웨스트 버지니아

58

11. 파일럿 마운틴 주립공원

아침 9시 반쯤 호텔을 출발하여 노우스 캐롤라이나로 향한다. 더럼(Durham)에 사는 윤OO 교수를 만나보고 싶어서다.

윤 교수는 웨스트버지니아대학에서 동문수학하고, 고대 행정학과에서 교수로 있다가 3년 전 명예퇴직을 한 후배 교수이다.

웨스트버지니아에서 남쪽으로 달리다가 점심 먹을 곳을 찾는다. 맛집을 찾아보니 가는 길에 〈파이와 파인트: Pies and Pints〉라는 음식점이 맛이 좋다고 나와 있다.

피에트빌(Fayetetville)이라는 작은 도시의 맛집 〈파이와 파인트〉를 찾아가 맥주와 닭다리 숯불구이를 시킨다.

닭다리 숯불구이는 닭다리를 숯불에 올려놓고 익혀서 그런지 여기저기 시커멓게 숯이 된 부분들이 붙어 있다. 이 부분을 떼어내고 먹는다.

값이 싼 것은

닭다리 숯불구이

파일럿 산의 봉우리

아니지만, 맛은 좋다.

　다시 차를 몰고, 버지니아를 거쳐 노우스 캐롤라이나에 들어서자 파일럿 산이 보이다, 74번 도로에서 137번 출구로 빠진다.

　여긴 파일럿 마운틴 주립공원(Pilot Mountain State Park)이다.

　저기는 들러 가야 한다. 어차피 여행이니 가는 길에 볼만 한 건 보고 가야 하지 않겠는가! 언제 또 여길 오겠는가.

　우리나라 사람들은 계급에 익숙하다. 예컨대, 국회의원이 제일 높고, 그 다음이 광역의원이고, 기초의회 의원이 제일 낮다고 본다. 국회의원은 나랏일을, 광역 의원은 광역의 일을, 기초 의원은 기초자치단체의 일을 하는 것일 뿐인데도 불구하고 국회의원, 광역의원, 기초의원의 순으로 높고 낮음을 매기는 것이 보통이다.

　선생도 대학원 교수가 제일 높고, 그 다음이 대학교수이고, 그 다음이

60

고등학교 교사이며, 그 밑에 중학교 교사, 그리고 맨 밑에 초등교사가 있고 생각하는 것이 보통이다.

단지 가르치는 대상이 다를 뿐인데도 그렇게 생각한다. 이런 생각은 군국주의 통치 시대였던 일제 36년 동안 스며든 계급의식 때문이다.

이런 계급의식은 하루빨리 사라져야 하는데…….

마찬가지로 주립공원은 국립공원보다 경치도 더 안 좋고, 군립공원은 더 형편없다고 생각한다.

그렇지만 이것은 편견일 뿐이다.

파일럿 산을 오르며

이런 편견은, 나의 경우, 미국에서 라스베거스 북쪽에 있는 불의 계곡 주립공원(Valley of Fire State Park)을 보고 깨져버렸다.

불의 계곡 주립공원은 이름이 주립공원이지만 국립공원 못지않은 경치를 보여주었기 때문이다.

주립인가, 국립인가, 군립인가는 .단지 관리하는 주체가 다를 뿐이지, 경치가 더 좋다거나 하는 것을 의미하는 것은 아니다.

우리나라에서도 울진에 있는 불영계곡 군립공원은 국립공원 뺨치게 좋지 않은가?

마찬가지이다.

비록 파일럿 산은 주립공원이지만 볼만하다. 평야 지대에 우뚝 솟은 2,440미터의 이 바위산 봉우리는 미국의 자연 랜드마크로 등록되어 있는 산이다.

자동차를 타고 산길을 올라가 차를 세운

파일럿 산의 봉우리

뒤 걸어가면 저쪽 편에 우뚝 솟아오른 봉우리를 볼 수 있다.

발밑으로는 깎아지른 절벽과 층층바위 등 기암이 있다.

그러나 무엇보다도 툭 튀어나온 봉우리가 일품이다.

산에서 내려와 윈스턴 살렘(Winston Salem)을 거쳐 그리즈버러(Greensboro)의 맛집으로 간다.

본피시 그릴(Bonedish Grill)에서 저녁을 먹는다.

역시 맛집은 맛집이다. 우선 사람들이 많다. 어찌 그리 잘 알고 찾아

파일럿 산의 층층바위

오는지…….

해산물 요리를 잘 먹고, 더럼으로 가면서 이제부터 여관을 찾는다.

더럼까지는 갈 수 있으나, 윤 교수 집 방문은 내일 하려는 것이다.

채플 힐 가기 전의 벌링턴(Burlington)에서 호텔을 잡는다.

그리고 쉰다.

12. 나이가 들어도 한다면 한다.

2016년 7월 16일(토)

아침에 일어나 일단 차를 몰고 채플 힐(Chapel Hill)로 간다. 노우스 캐롤라이나 대학(North Carolina University: NCU)이 있는 곳이다.

NCU 캠퍼스를 한 바퀴 차로 돈다.

학교 한 가운데에는 종탑이 있다. 이 학교의 랜드마크이다.

대충 돌아본 후, 더럼(Durham) 의 윤 교수 집을 향하여 차를 몬다. 집 근처에 와서 윤 교수에게 연락을 한다.

윤 교수와 미세스 윤이 반갑게 맞는다.

윤 교수야 은퇴하기 일 년 전에 만났지만, 미세스 윤은 정말 오랜 만이다. 세월은 흘렀어도 용모나 말솜

NCU의 종탑

노우스 캐롤라이나

씨 등은 여전히 그대로이고 씩씩하다.

윤 교수 집은 아담한 이층집이다.

윤 교수는 은퇴하여 여가를 즐기고 있고, 미세스 윤은 늦은 나이에 회계사 공부를 시작하여 결국 회계사가 되어 직장에 나가 돈을 벌고 있다.

미세스 윤을 보면, 아무리 늙어도 늙은 게 아니다라는 생각이 든다.

나이가 들어도 한다면 한다. 할 수 있는 것이다.

괜히 늙었다고 모든 것에 손을 놓고 있는 것은 아닌지?

반성한다.

윤 교수 집에서 잠시 차를 마시며 옛날로 돌아간다.

정말 반갑다.

윤 교수 아들과 며느리, 그리고 귀여운 손녀가 다니러 와 함께 점심을 먹으러 간다.

듀크 정원의 못

12. 나이가 들어도 한다면 한다.

듀크 정원에서

그리고는 사라 피 듀크 정원(Sara P. Duke Garden)으로 안내한다.

듀크 대학에 있는 이 정원은 55에이커에 달하는 식물원인데, 듀크 씨가 1934년에 만든 것으로서 미국의 공공정원으로는 10위 안에 드는 유명한 정원이다.

무엇보다도 입장료가 없다는 게 맘에 든다. 물론 주차비는 따로 내야 하지만.

옛날 델라웨어에서 듀퐁이 만든 롱우드 가든(Longwood Garden)에는 못 미치지만, 이 정원은 누구나 와서 쉬고 즐길 수 있는 아름다운 곳이다.

물론 갖가지 꽃과 나무들, 그리고 호수도 있고, 오리와 거위도 있고, 잉어도 있고, 경치가 좋다.

듀크 정원: 거위와 오리

듀크 정원의 못

12. 나이가 들어도 한다면 한다.

윤 교수 손녀가 재롱이 한창이다.

누구나 어릴 때는 저렇게 귀엽고 이쁘다. 그런데 커 가면서……

정원 이곳저곳을 산책하며 따가운 햇볕을 즐긴다.

4시쯤 되어 듀크 대학 캠퍼스로 차를 옮긴다.

듀크 대학(Duke University)의 건물들은 옛날에 석조로 지은것이어서

듀크 대학

그 느낌이 장중하고 예스러움을 보여준다.

듀크 대학을 벗어나 음식점으로 향하는 길은 숲 속으로 이어진 길이다.

미국에선 제일 부러운 것은 땅이 넓어서 그런지, 곳곳에 숲이 있다는 것이다.

숲속에 자리 잡은 대학도 있고, 주택가도 대부분 나무에 둘러싸여 있

듀크 대학

듀크 대학

12. 나이가 들어도 한다면 한다.

저녁 먹은 곳

는 것이다.

대도시이면서도 대도시처럼 보이지 않는 아늑함은 바로 이런 숲들이 많아서이다.

저녁은 조금 늦게 먹는다. 몰이 있는 곳인데, 하늘이 어두워지더니 비가 쏟아지기 시작한다.

와, 엄청난 비다.

밖을 내다보니 컴컴한 어둠 속에서 가로등만 환하게 빗나고 있다.

빗속에서 운치 있게 저녁을 먹는다.

오랜만에 미국에서 친구를 만나 하루를 잘 보냈다.

13. 현재 속에 과거가 있으나······.

2016년 7월 17일(일)

아침 일찍 호텔에서 나와 잠깐 윤 교수 집에 들려 작별 인사를 한다.

윤 교수 부부가 고속도로 입구의 아침 식사하는 곳으로 안내해 준다.

아침을 간단히 먹고, 차에 기름을 가득 채운 후 윤 교수 부부와 헤어진다. 만나면 반갑고, 헤어지면 슬프지만, 사람 사는 것이 만나고 헤어짐의 연속 아니던가!

다시 길을 잡아 남쪽으로 내려간다.

차를 몰고 윌밍턴(Wilmington)을 거쳐 찰스톤(Chalreston)으로

윌밍턴: 케이프 피어 강

월밍턴 시내

내려가는 여정을 잡았다.

가는 도중 고속도로 휴게소의 꽃들이 아름답다.

일찍 떠나서 그런지 월밍턴이라는 도시엔 11시가 채 안 되어 도착한다.

이 도시는 처음 정착민들에 의해 뉴 칼타고(New Cartago)로 불렸지만 이후 뉴 리버풀(New Riverpool), 뉴 타운(new Town)으로 등으로 바뀌었다가 월밍턴으로 바뀌었다.

이 도시는 경관도 깔끔하고, 기후도 좋고, 경치도 좋아 휴양지로도 유명하다.

월밍턴(Wilmington)의 인구는 약 10만 정도인데, 노우스 캐롤라이나 주의 동남부로 흐르는 케이프 피어(Cape Fear) 강 하류에 위치

뉴 하노버 군 법원

해 있는 항구 도시로서 시 동쪽으로는 대서양이 있다.

월밍턴 시내로 들어서자 도시의 미관이 눈에 들어온다.

뉴 하노버 군 법원(New Hanover County Courthouse)과 시청 사인 탈리안 홀(Thalian Hall)를 지나 도시를 한 바퀴 돌아본다.

집들도 이쁘고 건물들도 이쁘다. 전체적으로 잘 조화되어 있는 깔끔한 도시이다.

이렇게 아름다운 도시가 독립전쟁과 남북전쟁의 한 가운데에 있었다니 상상이 안 간다.

우리의 상상이란 늘 오감에 의지하여 현재만 바라보니 현재를 벗어난 먼 과거나 미래는 상상이 잘 안 되는 것이다.

현재 속에 과거가 있으나 그것은 가리어 안 보이는 것이다.

옛날 데스밸리를 갔을 때와 마찬가지 느낌이다.

당시 이 아름다운 곳을 왜 '죽음의 계곡'이라는 뜻의 데스밸리라 이름 붙였을까라는 의문이 있었으나, 서부 개척하던 사람들이 물이 없어 이곳에서 많이 죽었다는 것을 나중에 알고서야 그 이름이 이해가 된 것처럼, 이곳 역시 그 역사를 알고 먼 과거를 더듬어보면 이곳과 관련된 지명들을 이해할 수 있는 것이다.

역사적으로 볼 때, 이곳은 미국 독립전쟁과 남북전쟁 당시의 격전지였다고 한다.

예컨대, 남북전쟁 당시 남부군의 주요 물자가 케이프 피어 강을 통해 수송되었기 때문에 북부군이 이 지역을 탈환하여 남북전쟁을 종식시킬 때까지 치열한 싸움이 일어난 곳이기 때문이다.

케이프 피어 추모 다리

노우스 캐롤라이나

그래서 공포의 곶(Cape Fear), 공포의 곶에 있는 강(Cape Fear River)이라는 이름을 가지게 된 모양이다.

미국 독립전쟁과 남북전쟁 당시의 희생자들을 추모하여 케이프 피어 강을 건너는 다리의 이름을 케이프 피어 추모 다리(Cape Fear Memorial Bridge)라 지었는데, 이곳에서 바라보는 강안의 경치가 매우 좋다.

이 다리를 건너 17번 도로를 타고 해변을 따라 내려간다.

14. 마음 졸인 덕분에 얻은 교훈

2016년 7월 17일(일)

점심 먹을 시간이 지났다. 벌써 2시 가까이 되었다.

밥은 제때 먹어야 한다. 특히 여행 할 때에는!

가까운 맛집을 찾는다. 인터넷이 발전되어 이런 건 참 편하다.

가는 길에 마마 진스(Mama Jean's)라는 식당이 있다.

평판이 좋은 음식점이라서 그런지 음식은 맛이 있다.

한국 사람이나 미국 사람이나 입맛은 공통인 모양이다. 미국 사람들이 주로 평점을 주었겠지만 평점이 높은 집이 역시 음식이 맛있다.

잘 먹고 다시 길을 떠난다.

얼마 안 가니 . 머틀 비치(Myrtle Beach)이다

머틀 비치

사우스 캐롤라이나

머틀 비치

머틀 비치

14. 마음 졸인 덕분에 얻은 교훈

가는 길에 미국 동해안에 있는 해수욕장에도 구경해야 한다는 생각에 머틀 비치에서 바닷가 쪽으로 차를 몬다.

바닷가 모래가 썩 좋은 것은 아니지만, 넓고도 긴 모래펄에 사람들이 많기도 하다.

1.14달러 주고 바닐라 콘 아이스크림을 사들고, 바닷가 쪽으로 나간다.

바다 한쪽으로는 바닷가를 끼고 건물들이 늘어서 있고, 바닷가에는 파라솔 밑 의자에 누워 낮잠을 즐기는 사람, 파도치는 물속으로 들어가 해수욕을 즐기는 사람, 모래밭을 걷는 사람 등등이 보인다.

해수욕하는 사람들이 뜸한 해변의 한쪽 끝에서는 한 마리 검은 새가 하늘로 솟는듯하다가 갑자기 거꾸로 물속에 처박히며 물고기를 잡아 올

머틀 비치

사우스 캐롤라이나

린다.

자세히 보니 펠리칸이라는 새이다.

펠리칸은 여기서 처음 본다.

일찌감치 조지타운 못 미쳐 포울리스 아일랜드에 있는 〈모텔 6〉로 들어가 여장을 푼다.

하루 자는데 75.25달러나 되는 조금 비싼 호텔인데, 좀 싼 호텔을 찾으려다간 금방 어두워질 터이니, 오늘 하루를 여기서 그냥 묵기로 한다.

아직 날이 밝으니 바닷가 구경도 할 겸, 저녁도 먹을 겸, 간단한 옷차림으로 식당을 찾아 포울리스 아일랜드 (Pawleys Island) 쪽으로 나아간다.

바닷가 쪽에는 해산물 식당이 있을 것이라는 생각에서다.

그러나 식당이

머틀 비치: 펠리칸

14. 마음 졸인 덕분에 얻은 교훈

없다.

식당은 포기하고 어두워지기 전에 바닷가로 나가 바다나 구경하고 다시 오션 하이웨이로 나가 식당을 찾으려 했으나 바닷가로 나가는 길이 없다.

지도를 보니 바다는 바로 저 옆에 있는 게 분명한데, 개인 집들이 줄을 이어 들어서서 바다로 가는 길을 막고 있기 때문이다.

사유재산을 침범하여 바닷가로 나갈 수는 있겠으나, 그러다가 잘못하면 총 맞아 죽는다.

여기까지 와서 총 맞아 죽으면 되겠는가?

혹시 뚫린 길이 있나 하여 이곳저곳으로 무조건 바닷가 쪽으로 차를 몰았으나 허사였다.

벌써 날은 저물고, 바닷가로 나가는 길은 전혀 보이지 않는다.

에이~.

사유재산제도가 필요한 건 사실이지만, 그래도 그렇지, 바닷가로 나가는 길 정도는 여기 저기 뚫어 놓아야 할 것 아닌가! 바다는 공유재산인디……

할 수 없이 되돌아 나온다.

아까 오션 하이웨이에서 사거리에 식당이 있음을 보아두었기에 그냥 그곳에서 저녁을 먹으려 한 것이다.

오션 하이웨이로 올라가 지오스 이탈리안 키츤(Gios Italian Kitchen)이라는 식당에서 저녁을 먹는다. 33.79달러가 들었다.

밖은 이미 컴컴하다.

그리곤 다시 호텔로 돌아가려고 차를 몰고 가는데, 아무리 가도 우리

사우스 캐롤라이나

호텔이 안 나오는 거였다.

그거 참 이상허다.

분명 이쯤 되면 호텔이 보여야 할 텐데…….

호텔에서 나올 때 호텔 명함을 들고 나왔어야 하는데, 그냥 나온 게 불찰이었다.

호텔 이름인 〈호텔 6〉도 기억이 안 난다. 호텔 이름을 알아야 사람들에게 물어보지!

이거 참 큰일이다.

밖은 캄캄한데, 아무리 달려도 오른쪽에 숲을 지나면 우리 호텔이 나오는데, 안 나타나는 거다.

마음은 조마조마하고, 날은 깊어가고…….

안 되겠다. 더 이상 나타나지 않으니 일단 저녁 먹은 식당으로 다시 찾아가보자.

차를 돌려 저녁 먹은 식당까지 찾아 간다.

식당으로 들어가 물어본다.

"우리 호텔이 어디 있나요?"

"호텔 이름이 뭔가요?"

"글쎄 모르겠네유~. 길을 가다보니 숲이 있고, 간판이 있어 들어가긴 했는디……, 왜 갑자기 없어졌는지 아무리 가도 안 나 와유."

호텔 이름도 모르고 물어보는 바보가 어디 있나? 하는 눈초리이다.

에이 바보 취급 받느니, 혼자 생각해보자.

식당 앞에 차를 세운 채, 다시 방향을 가늠해본다.

이리 이리 와서 이렇게 식당엘 들어 왔으니까, 호텔은 이쪽일 텐데,

왜 안 나오는 거지? 호텔이 증발해 버릴 리는 없을 테고…….

식당으로 들어오며 방향을 그만 헷갈려 버린 것이었다. 왼쪽으로 가야 하는 걸 오른쪽으로 계속 갔으니 호텔이 나올 리 있는가!

음식점으로 들어갈 때 좌우 방향을 착각한 것이었다. 지리를 잘 안다고 너무 자신했던 오만이 부른 커다란 실수였다.

다시 차를 몰고 반대 방향으로 달리니 얼마 안 가 우리 호텔을 발견한다.

휴~, 안심이다!

그 동안 마음 졸인 게 억울하다면 억울하다. 그렇지만 다 내 잘못인 걸 어쩌나?

그나마 공동운명체인 주내가 옆에 있으니 서로 믿고 위로하며 호텔을 찾을 수 있는 것이다. 이래서 동반자가 좋은 것이다.

이 책을 읽는 여러분들께서 자동차 여행을 하신다면, 아니 자동차 여행이 아니더라도 호텔에서 나올 때에는 반드시 주소와 전화번호가 적힌 호텔 명함부터 챙겨야 한다.

명심하시라!

마음 졸인 덕분에 얻은 교훈이다.

82

15. 찰스턴의 교회들

사우스 캐롤라이나, 조지타운 근처 맥도날드에서 아침을 먹은 후, 찰스턴(Charleston)을 향하여 길을 간다.

가다보니 오른쪽으로 국립 찰스 핑크니 사적지(Charles Pinckney National Historic Site)라는 표지가 보인다.

찰스 핑크니(Charles Pinckney)는 사우스 캐롤라이나 출신의 정치인이다. 미국 헌법의 서명자였고, 연방 상원 의원 및 하원 의원, 스페인 대사, 사우스 캐롤라이나 주지사를 역임한 인물이다. 독립전쟁 당시에는 영국군과 싸우다 포로가 되기도 했고, 1804년과 1808년, 두 번의 대통령 선거에서 공화당 후보로 나와 낙선하기도 했다.

찰스 핑크니 사적지

핑크니의 자손 중에서 7명이나 사우스 캐롤라이나 주지사를 역임한 데서 알 수 있듯이 핑크니 가문은 사우스 캐롤라이나에서 알아주는 양반 가문이다.

이런 건 보고 가야 한다.

차로 들어서서 주차장에 차를 세워놓고, 표지판을 읽는다.

표지판에는 오전 9시부터 오후 5시까지 문을 열어 놓으니까, 오후 5시 이전에 돌아가셔야 한다는 말과 함께 사적지인 집은 지금 방문자 안내소 겸, 박물관으로 쓰인다는 것, 그리고 트레일 할 수 있는 지도가 있으니 이용하시라는 것 등이 적혀 있다.

또 다른 표지판에는 트레일 할 때 안전을 위한 안내문이 적혀 있다. 곧, 모기나 진드기 등에 의해 질병에 감염될 수 있으니 주의할 것, 뱀들이 맹독성이 있으니 발밑을 잘 살피라는 것, 코요테가 가끔 나타나 사냥을 하니 이를 보면 절대 가까이 가지 말라는 것, 그리고 열사병 위험이 있으니 물을 반드시 지참할 것 등의 주의 사항이 그것들이다.

역사적 지역이라고 하여 크게 기대를 하였으나, 볼 것은 거의 없다. 사적지 정원은 잘 가꾸어 놓아 아름답긴 하지만 정말 볼 건 없다.

트레일 코스를 따라 한참을 걸어 보았으나, 숲만 우거져 있고 큰 나무들만 있을 뿐, 모기도, 진드기도, 뱀도, 코요테도 보지는 못하였다.

괜히 들어왔다는 생각이 든다.

사적지에서 나와 조금 가니 쿠퍼 강을 건너는 다리가 보이고 그 다리를 건너니 찰스턴(Charleston)이라는 도시이다.

이 다리는 아더 레이브널 주니어 브리지(Arther Ravenel Jr. Bridge)라는 이름의 현수교인데, 나름대로 멋있다.

아더 레이브널 주니어 다리

찰스턴 쪽에서 본 아더 레이브널 주니어 다리

쿠퍼 강 건너 편의 경치가 근사하다.

다리를 건너 왼쪽으로 가 사우스 캐롤라이나 수족관(South Carolina Aquarium)으로 간다.

수족관 옆으로 난 부두 쪽에서 우리가 건너온 다리를 다시 한 번 쳐다본다. 역시 경치는 좋다.

이 수족관 옆에는 포트 섬터 국립 기념물 방문 센터(Fort Sumter National Monument Visitor Center)가 있다.

섬터 요새는 남부군과 연방군과의 두 차례 전쟁이 일어난 곳으로 쿠퍼 강 하구 제일 밑에 있는 조그만 섬에 있는데, 이 섬으로 가는 배가 여기에서 뜬다.

대충 둘러보고 시내로 향한다.

사우스 캐롤라이나 수족관 쪽 부두

사우스 캐롤라이나

매리언 광장

15. 찰스턴의 교회들

시내에는 고풍스런 집들도 많고 교회도 많다.

미국 남부를 대표하는 역사적인 도시답다.

칼훈 거리(Calhoun St.)를 따라 서쪽으로 가면, 매리언 광장(Marrion Square)이 나온다.

이 광장은 공원처럼 잘 꾸며 놓아 산책하기 좋은 곳인데, 토요일에는 현지에서 재배 한 과일 및 채소와 유기농 제품등을 구입할 수 있는 농민시장이 열린다고 한다.

광장 한 편 잔디밭너머에는 분홍빛의 4층 건물이 자리 잡고 있다. 무슨 건물인지는 모르겠으나, 미국기를 조기로 게양하고 있다.

광장 한가운데에는 '1782 -1850 진리 정의 그리고 헌법'이라는 글이 새겨진 원형의 큰 탑 위에 뉘신지 모르겠으나 망토를 걸친 사나이가 맨 위에 서 있다.

뉘신고? 이것이 알고 싶다.

나중에 찾아보니 존 칼훈 기념탑(John C. Calhoun Monument)이다. 존 칼훈은 미국의 7번째 부통령을 지낸 사람인데, 노예제도 옹호, 주의 분리 등을 주장했던 이 지역의 인물이라고 한다.

노예제도를 지지한 사람의 동상 밑에 진리, 정의 라는 말을 새겨 놓는다는 것이 과연 가당치나 한 것인가?

어떤 미련한 사람들이 이런 동상을 기념탑이라고 세워놓았는가?

이 기념탑 앞의 거리 이름도 칼훈이다.

에이~ 부통령을 지냈으면 지낸 거지, 별로 존경할만한 인물도 아닌데, 사우스 캐롤라이나 출신의 인물이랍시고 동상을 세워놓고, 거리에도 그 이름을 붙이고~.

사우스 캐롤라이나

두 번째 장로교회

훌륭한 인물이든 아니든, 그런 거는 상관없이 그 지역을 대표하는 인물이면 이렇게 동상을 세워놓을 수 있는 걸까?

이를 보니, 역시 미국 남부를 대표하는 도시답다는 생각이 든다.

샬로트 거리(Charotte St.)에는 두 번째 장로교회(Secondary Presbyterian Church)의 모습이 눈에 띈다.

옛날에 지은 것이라서 그런지 교회의 첨탑이 첨탑 같지 않고 망루 같이 생겼다.

한편 칼훈 거리 쪽에는 엠마뉴엘 아프리칸 감리교회(Emmanuel African Methodist Church)가 나오고, 그 옆으로는 시타델 스퀘어 침례교회(Citadel Square Baptist Church)가 나온다.

광장 너머 저쪽 편으로는 빨간색의 성 매튜스 루터란 교회(St.

엠마뉴엘 아프리칸 감리교회

시타델 스퀘어 침례교회

성 매튜스 루터란 교회

사우스 캐롤라이나

Matthews Lutheran Church)가 보인다.

이들 교회들은 십자가가 달린 첨탑이 매우 뾰족하고 길다. 마치 하늘에 닿으려는 듯이.

저런 것도 서로 경쟁하나?

한편 이 광장을 벗어나 얼마 안 가 레드 클립 거리(Red Cliff St.)에 이르면 센트럴 침례교회가 있는데, 그 건물이 말쑥하다.

이곳에는 교회 종류도 많다. 많은 만큼 하늘나라 가는 길도 많을 것이다.

찰스톤 시내 구경은 의도하지 않은 교회 순례가 되어 버렸다.

비록 교회의 겉모양만 구경하였지만, 열심히 돌아다니며, 무슨 교회인지 어찌 생겼는지를 열심히 관찰하였으니, 오늘만큼은 하느님의 은혜를

센트럴 침례교회

15. 찰스턴의 교회들

많이 받았을 것이다.

가슴이 뿌듯하다. ㅎ.

저녁 8시 경, 리지랜드(Ridgeland)의 트래블로지(Travellodge)에 여장을 푼다. 숙박비는 46.43달러.

그리고는 근처의 달러 제너럴이라는 상점에서 과일과 밀러 라이트(맥주) 등을 사고 KFC에서 저녁을 먹는다.

사우스 캐롤라이나

16. 니들이 알아서 살아가려무나

2016년 7월 19일(화)

9시 반 하비스(Harveys) 수퍼마켓에 들려 체리, 불루베리, 얼음 등을 사가지고 차에 싣고 사바나를 향해 달린다.

얼마 안 가 사바나 국립 야생 생물 보호 지역(Savannah National Wildlife Refuge) 표시가 나온다.

사바나라는 도시는 조지아 주이지만, 이 보호 지역은 대부분 사우스 캘롤라이나 주에 있고 일부는 조지아 주에 걸쳐 있다.

사바나란 말은 본디 열대 지역이나 아열대 지역의 대초원을 가리키는 말이지만, 조지아 주에 있는 도시 이름이기도 하다.

여하튼 이런 표지를 보고 안 들어가 볼 수는 없다. 차를 몰고 들어가

사바나 국립 야생 생물 보호 지역

사바나 국립 야생 생물 보호 지역

서는 여기 저기 둘러본다.

대부분이 길 좌우로 습지인데, 야생 식물들만 눈에 보인다. 악어나 뱀이라도 좀 찾아볼까 했으나, 아무리 눈 씻고 찾아봐도 보이지 않는다. 야생 연꽃이 피어 있거나 부들, 갈대 따위만 보인다.

안내 책자에는 야생 악어도 있고, 독사도 있고, 위험하니 늘 발밑을 조심하며 트래킹하라고 나와 있건만……

우리 차 이외에도 가끔 가다 차들이 눈에 띈다. 길가에 차를 세워 놓고, 늪을 관찰하는 사람들도 눈에 보인다.

"뭐 좀 있냐?"

"아무 것도(Nothing)! 열심히 살펴봤지만……."

대답이 간단하다.

사우스 캐롤라이나

"너, 눈이 나쁜 건 아니지?"

"내 눈은 양쪽 다 2.0이다."

"내 눈에 안 띄는 것이 니 눈에는 띄겠냐?"

그렇다 눈 탓이 아니다.

보호 지역 안쪽 깊숙이 들어가려니 차도가 좁아진다.

차로 다니는 길가 좌우에는 큰 나무가 서 있는데, 나무에 회색빛의 충충한 곰팡이-거미줄 비슷한 것들이 달려 있다.

무슨 열매 같기도 하고, 기생식물 같기도 한데, 좀 칙칙하고 지저분하다. 그렇지만 저것도 야생 식물이니 보호 받는 모양이다.

"니들이 알아서 살아가려무나." 이것이 이곳의 모토인 모양이다. 사람 손을 일체 안 대고, 있는 그대로 놓아 두는 것이다.

사바나 국립 야생 생물 보호 지역

허긴 사람의 손이 닿기 시작하면 자연을 거스를 수밖에 없는 것이 니…….

어찌됐든 여기 관리인은 엄청 편할 듯하다.

신의 직장이란 요런 델 말하는 것 아닐까?

가끔 가다 내려서 늪을 살펴보지만, 허사다.

겨우 하나 찾아낸 것이 주먹보다 조금 클까 말까 한 백로다. 백로가 갈대숲에서 먹이를 찾다가 휘익~하고 날아가 버린다.

저런 새는 한국에서도 많이 봤는디…….

결국 사바나 국립 야생 생물 보호 지역에선 제대로 본 것이 없다. 아 니 본 것은 야생 식물들뿐이다.

야생 동물들은 다 이사 갔나?

내가 와서 무서워 숨어버린 모양이다. 무서워 안 해도 되는디…….

난 걸을 때에도 개미가 밟히지 않도록 조심하며 걷는 사람이다. 그리 고 꽃이 아무리 아름답다고 해도, 주내가 꺾어 달라고 애원을 해도, 꺾지 않는 사람인디, 이런 걸 몰라준다.

허긴 야생 동물들이 나의 이런 숭고한 정신을 안다면, 더 이상 야생 동물이 아닐 거다. 귀신이지.

좀 모습을 보여주면 누가 뭐라나? 에이~.

사우스 캐롤라이나

17. 관심도 인연이 있어야 커지는 법

2016년 7월 19일(화)

실망과 함께 이곳을 나오니 조지아 주로 넘어간다.

리틀 백 강(Back River)과 사바나 강(Savannah River)을 건너면 조지아 주의 사바나라는 도시이다.

사바나 강을 건너는 데는 다리가 물론 놓여 있다. 이 다리는 탈마지 추모 다리(Talmadge Memorial Bridge)인데, 이 다리도 그런대로 멋있다.

사바나는 식민지 시대에 지어 놓은, 그래서 유럽풍의 옛 정취가 남아 있는 2,300채가 넘는 건물들이 잘 보존되어 있는 도시이다. 곧, 미국에서

탈마지 추모 다리

사바나 강

사적지가 가장 많은 도시이다.

또한 사바나는 미국 최초의 계획도시로도 유명하다.

차를 몰고 도시로 들어서자 방문객 안내 센터가 나온다.

들어가 이 도시의 지도를 얻는다.

지도를 보니 이 도시는 바둑판 모양으로 거리가 조성되어 있고, 거리 곳곳에 작은 공원이 조성되어 있다.

이를 볼 때 미국 최초의 계획도시라는 말이 실감 난다.

실제로 거리를 거닐다 보면 가로수가 잘 가꾸어져 있고 가로수 나무 사이로 아름다운 건물들이 들어서 있어 심신이 평안해지는 아름다운 도시이다

거리에는 말이 모는 마차를 탄 관광객들도 눈에 뜨인다.

조지아

사바나: 마차

　이 도시를 즐기려면, 마차를 타고 다녀도 되고 트롤리 버스를 타고 다녀도 되지만, 그냥 걷는 것도 나쁘지 않다.

　우린 그냥 차를 몰고 이 거리 저 거리로 다니다 보니, 남북전쟁 전에 지은 머서-윌리엄스 하우스(Mercer-Williams House)라는 저택도 보이고, 미국 걸스카우트를 만든 줄리엣 고든 로우가 태어난 집(Juliette Gordon Low House)도 보이고, 1820년대 양식으로 복원한 유서 깊은 아름다운 주택 대번포트 하우스(Davenport House)도 보이고, 1777년 세운 첫 번째 아프리칸 침례교회(First African Baptist Church)도 보인다. 이 도시에서 볼 수 있는 옛날 건축물들이다.

　유명한 옛날 건물들은 대부분 박물관으로 쓰이거나, 돈을 받고 내부를 공개하고 있지만, 그걸 다 구경할 수도 없고, 더욱이 입장료가 결코

싸지 않다.

보통 10달러의 입장료를 받는데, 글쎄? 이 엄청난 거금을 내고 들어갈 필요가 있을까?

글쎄 미국인이라면 모를까, 외국인에게는 그냥 이곳저곳을 거닐면서 도시를 즐기는 게 훨씬 날 거 같다.

그러나 무엇보다도 이 도시는 우리 밝음이와 인연이 있는 도시이다. 이 도시에는 애니메이션으로 유명한 SCAD(Savannah College of Art and Design)라는 학교가 있는데, 밝음이가 이 대학에서 애니메이션을 전공하였기 때문이다.

밝음이는 여기에서 3년 동안에 학사 과정을 마치고, 뉴욕의 SVA(School of Visual Art) 대학원에 진학하였다.

사바나 대학(SCAD) 건물

둘 다 사립대학이어서 당시에는 학비 대주느라고 무척 힘들었었는데……

그러니 학교 다니는 동안 한 번도 와볼 수 없는 건 당연한 것이었다. 물론 밝음이 역시 공부하던 도중에 한국에 다녀갈 생각은 꿈도 못 꾸었을 테고.

어찌되었든 밝음이가 다녔던 학교가 있는 도시이니, 학교 건물이 더더욱 눈에 띄는 것이다.

이 대학 건물들은 이 도시 이곳저곳에 분산되어 있다

역시 내 눈에는 사바나 대학의 건물들이 먼저 눈에 뜨인다. 도서관 건물도 보이고, 박물관 건물도 보이고, 대학 본부 건물도 보이고…….

| 사바나: 베스 에덴 침례교회 | 사바나: 세례 요한의 성당 |

관심이 있어야 보인다는 유홍준의 말이 여기에서도 적용된다.

관심도 인연이 있어야 커지는 법이다.

"밝음이가 이곳에서 고생하며 공부했구나!"라는 생각에 더더욱 감회가 깊어진다.

18. 겉모양만 보아도 감탄이 인다.

2016년 7월 20일(수)

바닷가 쪽 고속도로를 달려 11시가 넘자 올랜도(Orlando)의 디즈니
랜드에 도착한다.

넓게 난 길 좌우에는 디즈니월드(Disney World)를 나타내주는 여러
가지 캐릭터들을 그려 놓은 간판들이 눈에 띈다.

디즈니월드가 있는 올랜도(Orlando)라는 도시는 세계 놀이공원의 수
도라 일컬어질 만하다.

디즈니월드는 10,000헥타르가 넘는 플로리다의 넓은 숲속에 4개의
테마 파크, 2개의 워터 파크, 20여개의 호텔과 수많은 식당 따위로 구성

디즈니월드: 매직 킹덤으로 가는 모노레일

되어 있다.

매직 킹덤(Magic Kingdom)이라는 간판을 붙인 문으로 들어간다. 입장료를 받는 곳인 모양이다.

디즈니 월드 입장권은 1일권, 2일권, 3일권, 4일권으로 나뉘어 있다.

4개의 테마파크는 매직 킹덤, 엡콧, 애니멀 킹덤, 헐리우드 스튜디오인데, 우린 매직 킹덤 테마파크 1일권을 사가지고 들어간다.

들어가니 정말 엄청 넓은 주차장이 있고 안내인이 그곳에 차를 세우라고 한다.

들어오는 순서대로 차를 세워 놓았는데, 나중에 돌아올 때 우리 차를 어디에 세웠는지 헷갈려 한참 헤맸던 기억이 있다.

이글을 읽으시는 분들이 여기를 방문할 때에는 차를 어디에 세워놓았는지를 몇 번이고 확실히 기억해 놓아야 한다.

아무리 머리가 좋더라도 여러 번 둘러보면서 내 차의 위치를 기억해 놓으시라고 권하고 싶다.

차를 세워 놓고, 저쪽 앞을 보니 둥그런 공 모양의 건물이 모노레일 위로 마치 달이 뜨는 것처럼 솟아 있다.

아마도 골프 좋아하는 분들은 웬 골프공을 여기에 전시해 놓았나 하실 지도 모른다. 골프공 치고는 조금 크지만……. ㅎ.

요것이 스페이스쉽 어스(Spaceship Earth)이다. '지구라는 우주선'이라는 뜻인가?

이 겉모양만 보아도 감탄이 인다.

월트 디즈니의 상상력을 통해 만들어진 매직 킹덤은 6개의 환상의 나라가 있다는데, 너무 넓어서 어디에 뭐가 있는지 기억할 수 없다.

디즈니월드: 스페이스쉽 어스

그냥 눈에 띄는 대로 본 것들을 이야기한다.

우선 공 모양의 건물과 그 주변을 훑어 나간다.

미래 도시라는 뜻의 엡콧 센터(Epcot Center) 앞으로는 자그마한 호수가 있고, 그 호수 주변으로 빙 둘러 중국 전시관, 독일 전시관, 이탈리아 전시관, 미국 모험 전시관(American Adventure Pavilion) 일본 전시관, 모로코 전시관, 프랑스 전시관, 영국 전시관 따위가 각각의 특이한 건축물들을 보여준다.

이러한 각국의 독특한 건축물 안에는 그 나라 특유의 문물들이 손님을 기다리고 있다. 예컨대, 중국의 경우, 중국 북경 자금성에 있는 기년전(祈年殿) 건물이 있고, 짝퉁 진용(秦俑)들이 있다. 일본 전시관에는 일본풍의 건물과 백제인들이 세운 절 모양의 탑 등이 있고, 전시관 내부에는 일본을 상징하듯 자질구레한 기념품들, 갑옷을 입은 사무라이 모형, 일본도 따위가 있다.

이들만 보고 돌아다니면, 이들 나라들을 맛보기로 관광하는 셈이 된다.

이 이외에도 '미션: 스페이스(Mission: Space)'라는 테마 파크, '네모와 친구들의 바다(The Seas with Nemo and Friends)'라는 테마 파크 등 볼거리가 많다.

이들을 보는 것은 생략하고, 12시쯤 일단 모노레일을 타고 다른 곳으로 이동한다.

디즈니월드: 미션 우주

디즈니월드: 디즈니의 그랜드 플로리다 리조트 앤드 스파

덥기는 무척 더운데, 모노레일을 타고 있는 동안은 다리도 안 아프고 시원하니 좋다.

모노레일에서 내려 부둣가 쪽으로 걸어간다.

넓은 호수 저 편에는 환상의 예쁜 성이 보인다. 매직 킹덤인 신데렐라 성이다.

왼쪽으로는 물 위에 지어놓은 흙색 지붕을 인 건물들이 보인다. 나중에 찾아보니 폴리네시안 빌리지라 나와 있다.

더 멀리에는 붉은 색 지붕을 인 아름다운 집들이 숲 뒤로 펼쳐져 있다. 나중에 지도를 보니 디즈니의 그랜드 플로리다 리조트 앤드 스파(Diseny's Grand Floridian Resort and Spa)이다. 이 리조트 안에 호텔과 음식점, 기념품점 등이 있을 것이다.

18. 겉모양만 보아도 감탄이 인다.

여하튼 그 경치가 썩 아름답다.

오른쪽으론 숲이 보이고, 부두 앞으로는 저 멀리 신데렐라 성이 보인다.

신데렐라 성 오른쪽으로는 마치 깔때기를 엎어놓은 것 같은 하얀 색의 건물이 보인다. '우주 산'(Space Mountain)이라는 테마 파크이다.

이제 여기에서 배를 타고 매직 킹덤으로 가야 한다.

사람들이 많아 배도 줄을 서서 기다려야 한다.

그 다음 배를 타고 신데렐라 성으로 향한다.

여기에서도 볼 것은 많다.

미국 대통령 홀이라는 곳에는 미국 역대 대통령 초상화도 있고, 대통령들의 인물상을 실물 크기로 진열해 놓고 있다.

디즈니월드: 폴리네시안 빌리지

이보다도 아이들이 좋아하는 '카리브 해적' 테마파크도 있고, '일곱 난쟁이' 테마파크도 있고, '피터팬의 비행'이라는 테마파크도 있고, 여하튼 어린이들의 호기심을 충족시켜줄 수 있는 테마 파크들이 참으로 많다.

대충 주마간산 식으로 지나친 후, 다시 배를 타고 돌아온다.

그럴 수밖에 없다.

워낙 넓고 볼 만한 것들이 많으니 걷다 보면 다리도 아프고 덥기도 하고…….

승아를 데리고 오지 않은 게 다행이라면 다행이다. 승아 같은 어린이들을 데리고 왔다면 아마 꼼짝없이 이곳에서만 한 일주일은 보내야 할 것이다.

여하튼 관심이 전혀 없는 어른도 이곳 구경은 하루 이틀 만에 끝낼 수 있는 게 아니다.

한마디로 대단하다.

디즈니월드: 신데렐라 성

디즈니월드: 신데렐라 성

월트 디즈니가 위대한 건 이미 알고 있었지만, 정말로 참으로 위대해
보인다.

110

19. 돈이 중요하다!

2016년 7월 20일(수)

디즈니월드는 아이들의 상상력을 자극하여, 비록 무모한 것처럼 보여도 좋은 그러한 동화의 나라를 꿈꾸게 해주고, 무한한 인간의 능력을 계발시키는 데 이바지하고 있다.

그냥 아이들의 놀이공원에 그치는 것이 아니라, 그것들을 통해 인류의 미래에 대한 꿈을 계발하여 나가는 위대한 공간인 셈이다.

이렇게 큰 놀이공원을 만든다는 것은 월트 디즈니의 무한한 상상력과 막대한 돈(자본)이 결합된 것이다.

돈이 없으면 이런 공원을 만든다는 것이 가당키나 했겠는가?

정말 돈이 중요하다!

디즈니월드

디즈니월드: 우주 산

오늘 깨달은 또 하나의 교훈이다.

돈을 우습게 알던 우리 선조들이 반성해야 할 일이다.

나 역시 "황금을 보기를 돌 같이 하라!"는 최영 장군을 우러르는 사람이어서 돈에 초연하였지만, 여길 다녀오고서야 "돈이 중요하다."는 사실을 깨달았다.

돈 많은 게 나쁜 게 아니다.

그 돈을 어찌 벌었는가에 따라 그 돈이 좋은 것일 수도, 나쁜 것일 수도 있는 것일 터인데, 돈 많은 사람들이 번 돈은 구린 돈이라고 단정하여 우습게 봐 온 것이 잘못이라면 잘못이다.

반면에 내가 이런 우를 범한 것은 그만큼 잘못 버는 사람들이 많다는 증좌이기도 하다.

조지아

디즈니월드: 어디더라?

그렇지만 훌륭한 일을 하여 돈을 번 사람은 우리가 존경해야지 누가 존경할 것인가?

그런데 그걸 가리는 혜안이 우리에게 있는가?

요건 생각해보아야 할 일이다.

한편 마찬가지로 돈을 어찌 쓰는가에 따라 돈의 가치는 달라지는 법이다.

어찌 벌었든 번 돈을 잘 쓰면 그것처럼 좋은 일이 어디 있을꼬? 물론 훌륭한 일을 하여 번 돈을 잘 쓴다면 금상첨화이니 여기서 논란을 벌일 필요는 없겠다.

오히려 돈 없는 게 죄이다.

다시 배를 타고 모노레일을 타고 원위치로 돌아온다.

19. 돈이 중요하다.

이제 종O이네로 가야 한다.

종O이는 웨스트버지니아 대학에서 같이 공부하던 장OO 씨의 아들이다. 지금은 훌륭한 청년으로 성장하여 제몫을 하고 있지만, 그 옛날 모르간타운에 있을 때에는 애기였었는데……

장 사장은 지금 플로리다 탬파(Tampa)에서 살며 사업을 하고 있는데, 나와는 옛날부터 형제처럼 지내는 사이이다.

장 사장에게 전화를 한다.

내비게이션에 장 사장 집을 찍고 디즈니월드에서 나온다.

자동차로 나오는 길에 오른쪽으로 이상한 건물이 서 있다. 둥근 공모양의 건물이다. 저건 무엇에 쓰는 건물인고?

달리는 차 속에서 물어볼 수도 없고……

디즈니월드: 저건 뭐하는 물건이고?

조지아

114

여하튼 월트 디즈니는 호기심을 일으키게 하는 데 기똥찬 재주가 있는 사람이다.

탐파의 종O이네 집 도착하니, 종O이 엄마와 장 사장이 반갑게 맞이한다.

종O이는 사회사업가가 되어 일 나가고 밤늦게나 들어온다고 한다.

2층에 짐을 내려놓고 저녁을 먹으러 간다. 바닷가 근처의 일류 해산물 음식점인데, 어딘지는 나도 잘 모른다.

여하튼 해산물 음식점에서 정말 오랜만에 맛있는 식사를 한다.

정말 잘 먹는다.

감사하다.

저녁식사: 성찬

성찬

우린 먹을 때만큼은 으레 감사하지만, 이날은 더욱 더 감사한다. 오랜 친구와 함께 맛있는 걸 먹었으니까!

밖은 어둑어둑해지면서 빗방울이 떨어지는데, 빗방울이 떨어지는 수면이 재미있다. 빗방울이 크기도 하려니와 떨어지는 즉시 큰 콩알만 한 점이 생긴다.

한편 바다 한 가운데에 있는 표지판 위에는 새가 두 마리 앉아 그냥 비를 맞으며 서 있는 모습이 처량하다.

116

20. 아름다움이 죽음을 유혹하는가?

2016년 7월 21일(목)

장 사장 집에서 잘 쉬고 오후엔 탐파의 바닷가로 간다.

장 사장이 안내하며 '햇빛 하늘길 다리'라는 이름으로 번역할 수 있는 선샤인 스카이웨이 다리(Sunshine Skyway Bridge)를 지나 테라 세이아 프리저브 주립공원(Terra Ceia Preserve State Park)으로 드라이브를 나간다.

햇빛 하늘길 다리는 플로리다 주 서쪽 해안 탐파 만 입구에 있는 길이가 6,668m에 이르는 아름다운 곡선의 다리이다.

그러나 이 다리는 자신의 생을 마감하려는 사람들을 우혹하는 매혹적인 다리로서 미국에서 네 번째, 캘리포니아 동쪽에서는 첫 번째

햇빛 하늘길 다리

햇빛 하늘길 다리

를 차지하는 다리이다.

참고로 자살건수 1위는 샌프란시스코의 금문교(Golden Gate Bridge: 높이 220피트)이고, 2위는 시애틀의 조지 워싱턴 추모 다리(George Washington Memorial Bridge: 높이 167피트)이고, 3위는 산 디에고의 코로나도 다리(Coronado Bridge: 높이 200피트)이다.

그런 까닭에 이 다리 위에서는 관광객이라 하더라도 차를 세워서도 안 되고, 걸어서 건너거나, 자전거를 타고 건너는 것은 금지되어 있다.

그냥 슬쩍 한 번 차를 세워보면 어떠냐고?

물론 안 되지!

플로리다 고속도로 순찰대(Florida Highway Patrol)가 감시의 눈을

118

탐파 만

번뜩이고 있다가 발견하는 즉시 붙잡아 가니까!

한 번 붙잡혀 가보고 싶으면, 용기를 내서 한 번 차를 세워보시든 가~.

그런데 왜 아름다운 곳에서 사람들은 죽음을 생각할까?

아름다운 곳에서 죽으면 죽은 후의 세상이 아름다워지리라는 기대 때문일까?

여행하면서 느낀 것은 사람들이 많이 죽은 곳은 대체로 아름다운 곳이었다. 미국의 데스밸리(서부 개척 시 서부로 향하던 사람들이 물이 없어 많이 죽어간 곳, 그러나 경치는 세계 제일을 다투는 곳이다)가 그러하고, 노르웨이의 에크네(나치 수용소가 있었던 곳으로 200여명이 총살을

당한 곳)가 그러하다

　아름다운 곳에서는 죽음의 사자가 도사리고 있는 모양이다.

　날씨는 하늘에 구름이 가득 끼었으나, 하늘의 그러한 심술도 탐파만
의 아름다움을 이기지는 못한다.

　햇빛 하늘길 다리를 지나 차를 세운다. 테라 세이아 보호 주림공원이
다.

　여기에서 바닷가 쪽으로 걸어간다.

　바닷가에는 야자수들이 늘씬한 키를 자랑하며 서 있다.

　저 멀리 탐파 시내의 빌딩들이 점처럼 보이고, 바다는 조용하다.

　그냥 바다를 보며 쉬기에는 안성맞춤이다. 그 경치 또한 아름답다.

탐파 만 너머 탐파 시

조지아

테라 세이아 프리저브 주립공원

이 공원은 2,000에이커에 달하는 맹그로브 숲으로 이루어져 있는, 보호 지역이다.

이곳은 민물과 바닷물이 만나 이루어진 습지로서 다양한 종의 생물들이 서식하는 곳이다. 이들을 보호하고 복원하는 노력이 이루어지고 있는 이곳은 다른 한편으로 산책로, 카약, 카누 선착장, 오락시설 등이 계획되어 있고, 현재 카약 타기 등이 이루어지고 있다.

그러나 무엇보다도 내 눈을 끄는 것은 그 경치이다. 툭 트인 바다와 그 위를 지나는 다리와 곧게 뻗은 야자수, 그리고 시시각각 변화하는 그 바다의 물빛 등이 매혹적이다.

이러한 아름다움이 죽음을 유혹하는가?

21. 김영란법을 오염시키면 안 된다.

오늘은 오전에 장 사장과 함께 골프를 치러 간다.

골프를 잘 치지 못하여 크게 흥미는 없으나, 마음 맞는 사람과 함께 골프장 안을 거니는 건 좋다. 그냥 운동 삼아 산책삼아 설렁설렁하는 치는 골프이다.

골프장 안의 못가에 재두루미가 한 마리가 눈에 띈다.

어느 골프장이건 골프장은 경치가 좋지만, 이 골프장은 이름은 잊었는데, 장 사장이 대접한다고 우리를 데리고 간 골프장이어서 그런지 정말

재두루미

조지아

클리어워터 비치

좋다. 장 사장에게 감사한다.

이런 접대가 김영란법에 저촉된다고 걱정하시는 분들이 혹 있을지 모르겠지만 걱정 안 하셔도 된다.

오랜만에, 근 십여 년 만에 만나 반가운 마음으로 함께 한 것인데, 그 순수한 정을 김영란법 운운하며 오염시키는 건 김영란법을 만든 김영란 씨도 원하지 않을 거다. 물론 대가성 있는 것도 아니고, 그런 위치에 있는 것도 아니니…….

어떤 사람들은 저 골프장의 재두루미처럼 고아한 인격과 품격을 갖추고 있으니 구설수에 휘말리는 그런 지위를 초개처럼 생각한다고 나를 부러워할지도 모르지만, 솔직히 이런 때는 그런 위치에 있어 보았으면 싶기도 하다.

오전 운동을 대충 끝내고는 점심을 먹고는 이제 차를 달려 클리어워터(Clearwater)로 간다.

탐파 만(Tampa Bay)과 멕시코 만(Gulf of Mexico) 사이를 가로지르는 반도 양안에 세인트 피트 비치(Saint Pete Beach)와 클리어워터 비치(Clearwater Beach)가 자리 잡고 있는데, 이들 해안은 미국 최고의 해변 25개 중의 하나로서 클리어워터 비치는 2016년 1위를, 세인트 피트 비치는 4위를 차지한 곳이다.

뉴욕 타임스(The New York Times)는 미국에서 꼭 가봐야 할 관광지 52곳 중의 하나로 선정하였다.

클리어워터 비치

124

일단 클리어워터의 해변으로 차를 몬다.

실제로 56km에 달하는 하얀 모래사장과 해양스포츠를 즐길 수 있는 시설, 그리고 그 배후의 고층건물들이 조화롭게 펼쳐져 있다. 물론 호텔도 많다.

또한 이곳에는 달리 박물관(Dali Museum)과 모던 아트 센터(Modern Art Center)가 있다.

달리 박물관에는 스페인 초현실주의 화가 살바도르 달리(Salvador Dali)의 작품이 상시 전시되고 있고, 모던 아트 센터에서는 유리 공예가로 유명한 데일 치훌리(Dale Chihuly)의 영구 컬렉션을 만나볼 수 있으니, 관심이 있는 분들은 반드시 들려보시기 바란다.

클리어워터 비치

또한 해양생물을 관찰할 수 있는 클리어워터 마린 아쿠아리움(Clear Water Marine Aquarium)도 있고, 플로리다 주에서 가장 오래된 수제맥주를 만드는 양조장들도 있어 양조장 투어도 할 수 있다.

성찬

클리어 워터 지역을 벗어나 집으로 오는 길은 길 양쪽으로 야자수가 늘어서 있는 시원한 길이다.

집에서는 미세스 장이 스테이크를 구워놓고 우리를 기다리고 있다.

미세스 장은 이곳 탐파의 병원에서 수간호사로 일을 한다.

그래서 오늘도 함께 돌아다니지 못했는데, 일 하느라 고단할 텐데도 불구하고 퇴근 후 우리를 위해 이런 성찬을 준비해 준 것이다.

무엇보다도 음식솜씨도 좋다. 맛있게 감사히 저녁을 먹는다.

그러면서 생각한다.

도대체 미세스 장의 이러한 왕성한 활동력은 어디서 나오는지? 벌써

조지아

할머니가 되었는데도 불구하고 직장 일하랴, 손주 보기 등 집안일 챙기 랴, 손님 대접하랴, 참으로 눈부신 힘을 보여준다.

아마도 신앙심의 힘인 듯하다.

정말 감사한다.

22. 스페니시 모스는 스페인 출신인가?

2016년 7월 24(일)

아침 일찍 호텔을 나와 아틀란타로 향하다 가는 길에 리드 빙엄 주립 공원(Reed Bingham State Park)을 들린다.

숲으로 들어서자 소나무와 삼나무가 쭉쭉 뻗어 있고, 그 가운데 가끔 기생식물인 스페니시 모스(Spanish moss)가 보인다.

이름은 이끼라는 뜻의 모스가 붙었지만, 스페니시 모스는 이끼가 아니라 나무에 붙어사는 착생식물이다.

누런 실타래 같은 것이 나무에 매달려 있어 조금은 지저분해 보이지만, 스페니시 모스는 공기와 햇볕, 비로부터 영양을 얻으며 살아가는 기생(氣生)식물이다.

리드 빙엄 주립공원

조지아

스페니시 모스에 스페니시라는 말이 붙은 걸 보고, 이 식물이 스페인 출신인가라고 생각할지 모르겠다.

그건 식물학자가 아닌 나도 잘 모른다. 이 식물이 스페인 출신인지, 아프리카 출신인지, 동남아 출신인지, 미국 본토 출신인지…….

다만 조금 우중충해보이고 값싸 보이는 건 꼭 다른 나라 이름, 특히 내가 싫어하는 나라 이름을 붙이는 경향이 있다는 점을 감안해보면, 스, 패니시 모스는 스페인 출신이 아닐 가능성이 크다.

이 식물은 새들이 둥지를 짓는데 많이 이용하기도 하고, 가끔은 꽂꽂 이용으로도 쓰이고, 옛날에는 매트리스의 쿠션용으로 쓰였다고 한다.

포드 자동차에서는 처음으로 이 식물을 자동차 시트에 넣어 사용하였는데, 벌레가 많아 앉은 사람들이 가렵다며 리콜하기도 했다는데, 그 다

스페니시 모스

22. 스페니시 모스는 스페인 출신인가?

리드 빙엄 주립공원: 독수리

음부터는 깨끗하게 씻어 말려서 썼다고 한다.

조금 더 들어가니 다리 난간에 독수리가 한 마리 웅크리고 있다가 날개를 활짝 피고는 하늘로 날아오르기 시작한다.

이 공원은 경치가 괜찮고, 트레일 코스가 있어 산책하기 좋은 곳이다.

이 공원엔 악어, 왜가리, 해오라기, 독수리 등 많은 동물들이 서식하고 있다는데, 본 것은 독수리 한 마리뿐이다.

크게 볼거리는 없지만, 그런대로 산책을 하거나 호수에서 수상스키나 보트를 타거나, 낚시를 하기에는 아주 좋은 곳이다. 날씨도 좋고!

맑은 호수를 지나 한쪽 구석의 늪에서 열심히 악어가 나타나기를 고대했으나, 한 1미터 정도 되는 길쭉한 물고기와 자라 한 마리만 보았을 뿐 악어는 나타나지 않는다.

조지아

공원 한쪽에는 옛날 쓰던 군용 비행기와 탱크 등이 전시되어 있고, 그 옆 표지판에는 "올라가지 마시오!"라는 경고판이 붙어 있다.

도대체 이 아늑하고 평화로운 공원 안에 무슨 이리 험한 물건을 진열해 놓았는고?

평화를 지키기 위해선 어쩔 수 없는 무기들이겠지만, 공원에 진열해 놓는 것은 아무래도 어울리지 않는다.

미국인들은 이런 물건을 좋아하는 모양이다. 평시에는 점잖고 친절하고 평화로운 미국인들이지만, 그 속에 미국인들의 호전성이 숨겨져 있다고 주장한다면 이게 지나친 주장일까?

미국만큼 전쟁의 역사를 가진 나라도 흔하지 않다.

독립전쟁부터 시작하여 개척정신으로 미화시킨 인디언 학살 전쟁, 멕

리드 빙엄 주립공원: 탱크

22. 스페니시 모스는 스페인 출신인가?

하이 폴스 주립공원:

시코와의 전쟁, 남북전쟁, 세계 2차 대전, 한국전쟁, 월남전쟁, 아프칸 전쟁, 걸프만 전쟁, 시리아 내전 등등 전쟁에는 끊임없이 참여한 나라가 미국이다.

또한 미국 아이들의 컴퓨터 게임에서도 싸우고 부수는 전쟁놀이가 대부분이다.

이런 걸 종합해보면 미국인들의 의식구조 저 밑에는 전쟁에 관한 무의식적 욕망이 잠재하고 있다고 봐야 할 것 같다.

다시 아틀란타를 향해 가면서 하이 폴스 주립공원(High Falls State Park)에 들린다.

하이 폴스라고 하여 매우 높은 폭포가 있는 곳이라 생각하였으나, 폭포의 높이는 별로 높지 않다. 높이보다는 폭이 훨씬 넓다.

조지아

하이 폴스 호수에서 내려오는 물들이 폭포를 이루고는 있지만, 그 보다는 폭포 밑의 널찍한 바위들이 조금씩 패여 있어 깊지 않아 아이들이 놀기에 알맞은 깊이이다.

그리고 그곳에서는 물놀이가 한창이다.

이 공원은 한쪽 편으로 캠핑할 수 있도록 RV파크가 마련되어 있다.

그래서 그런지 RV 차들이 많다.

크게 볼거리는 없고, 아이들 키우는 가정에선 애들을 데리고 와 그냥 머무르며 물놀이하고 더위를 피하기에는 안성맞춤인 곳이다.

23. 모든 걸 순리로 받아들인다.

2016년 7월 25(월)

아침 일찍 호텔을 나와 아틀란타로 가다가 아틀란타 외곽고속도로를 타고 스톤 마운틴으로 간다.

스톤 마운틴은 아틀란타의 동쪽에 있는, 말 그대로, 하나의 커다란 바위로 된 산이다.

달리다보니 저 멀리 허연 바위산이 나타났다가 사라지곤 다시 나타나다가 사라지곤 한다.

처음엔 잘 몰랐으나, 하얗고 커다란 덩어리의 바위산이 신기하기만 하다.

여하튼 미국은 이상한 나라이다.

스톤 마운틴

조지아

스톤 마운틴에서 나와 아틀란타 시내로 가던 도중 점심을 먹는다. 데카투르(Decatur)라는 곳의 해산물 음식점인데, 돈은 좀 들었지만 잘 먹어 두어야 한다.

점심을 먹고 애틀란타로 들어가다가 피드몬트 공원(Piedmont Park)을 들린다. 아틀란타 식물원(Atlanta Botanic Garden)이 있는 곳이다.

이 식물원 입장료는 어른이 21달러 95센트이다. 주내와 나 둘이면 10센트 뺀 44달러이다. 되게 비싸다. 상놈의 나라라서 그런지 경로우대도 없다.

그러나 참 다행이다. 월요일은 휴관이다. 역시 하나님이 우리가 돈 없는 걸 아시는 모양이다.

우린 모든 걸 순리로 받아들인다. 가슴을 쓸어내리며 긍정적인 마음

아틀란타 시내 건물들

23. 모든 걸 순리로 받아들인다.

아틀란타 시내 건물들

<u>으로!</u>

식물원 구경보다는 돈을 절약했다는 기쁜 마음으로 아틀란타 시내로 들어가 시내 구경을 한다.

목적지가 뚜렷한 것도 아니니 그냥 차 가는대로 시내를 돌아보며 주 마간산 식으로 구경한다.

시내 고층 건물들이 깔끔하게 다가온다.

조지아 텍이라는 대학도 보고, 센테니얼 올림픽 공원(Centenial Olympic Park)도 본다.

올림픽 공원에는 1996년 아틀란타 올림픽을 기념하기 위해 세워 놓은 흥미로운 건물들도 있고 그 안에 들어가 올림픽 관련 기념물들을 구

아틀란타: 올림픽 공원

경할 수 있다.

입장료는 13세 이상 64세까지는 16달러인데, 65세 이상 노인은 2달러를 깎아 줘서 14달러이다. 3살부터 12살까지의 어린이는 12달러이고 2세 미만은 공짜다.

그나마 여기에서는 경로사상이 쬐끔 있다. 2달러라도 깎아주는 걸 보면!

늙으면 어린이가 된다는데, 우리나라처럼 그냥 '반값!' 하지 않고, 겨우 2달러 깎아 14달러 받는 것은 무슨 근거가 있는 것인가? 어린이는 여기에서 또 2달러 깎아줘서 12달러 받는데, 이것도 무슨 근거가 있는가?

갑자기 그것이 궁금하다.

물론 건물 안으로 들어가지 않고 공원에서만 노닐면 그건 공짜다.

대충 시내를 한 바퀴 돈 다음 테네시 주의 채터누가(Chattanoga) 쪽으로 길을 잡는다.

채터누가 못 미쳐 칼훈(Calhoun)의 호텔에 방을 잡는다.

조지아

24. 옛날 사람도 폼 잘 잡는다.

2016년 7월 26(화)

조지아 주를 벗어나 테네시 주의 채터누가(Chattanoga)에 도착한 건 11시가 넘어서였다.

옛날 1984년 여름, 텍사스에서 웨스트버지니아까지 차를 끌고 여행한 적이 있었다. 그때 테네시의 채터누가에 와서 루비 폭포를 본 기억이 난다.

지하에 있는 동굴 속에서 폭포가 쏟아지던 광경만 기억에 남아 있는 것이다.

이런 기억을 가지고 채터누가의 입구에 들어서니 왼쪽으로 절벽이 높이 솟아 있고, 그 밑으론 아름다운 집들이 옹기종기 모여 있다.

룩아웃 마운틴의 돌

저 절벽 위에 돌로 된 공원인 록 시티(Rock City)가 있고, 루비 폭포가 있을 것이다.

절벽의 가파른 산길을 돌고 돌아 올라가는 58번 도로를 따라 절벽 위로 오르니 이곳이 룩아웃 마운틴(Look out Mountain)이다. 전망을 볼 수 있는 산이라서 그런 이름이 붙은 모양이다.

룩아웃 마운틴 장로교회

이 절벽 위에 바위와 자연을 조화롭게 가꾸어 놓은 공원인 록 시티(Rock City)가 있다.

이곳엔 버섯 모양의 돌 등 이상한 형태의 돌들이 있고, 절벽 사이로 난 좁은 길도 있으며, 구름다리도 있고, 전망대도 있다.

이 공원으로 들어가기 전에도 볼거리는 많다. 우선 만날 수 있는 게 룩아웃 마운틴 장로교회(Lookout Mountain Presbyterian Church)이

룩아웃 마운틴: 꽃

다.

이 교회 역시 록 시티의 교회답게 돌로 만들어 놓은 교회이다.

록 시티에서 루비 폭포로 가는 길에 길가의 어떤 집 앞에 피어 있는 꽃이 볼 만하여 사진기를 들이댄다.

꽃의 이름은 모르겠는데, 하얀 꽃송이가 탐스럽게 피어 있고, 그것들이 정원에 가득하여 마치 눈송이를 모아 놓은 듯하다.

얼마 안 가 국립군사공원이라는 팻말과 함께 포인트 파크(Point Park) 라는 돌로 쌓은 요새가 나타난다.

안으로 들어가 보면 얼마 안 가 전망대가 나온다. 채터누가 시내를 감싸고도는 테네시 강과 함께 채터누가 시내가 보인다.

전망대 산이라는 이름답게 전망이 시원하다.

룩아웃 마운틴 전망대: 테네시 강과 채터누가 시내

룩아웃 마운틴: 돌

테네시

142

룩아웃 마운틴: 옛 사진

역시 주변엔 층층으로 쌓인 기이한 돌들이 포진하고 있고, 어떤 돌 위에는 옛날 남북전쟁 때 사용했던 대포가 채터누가를 향하고 있다.

그 옆으로는 절벽 위에 돌로 쌓은 보루가 있고, 그 안에는 전시관이 있다.

전시관 안에는 이 절벽을 설명하는 글들과 옛날 체로키 인디언들의 이 산에 대한 전설이 적혀 있다.

그 다음 방에는 옛날 이 산을 오른 사람들이 절벽의 바위 위에 앉거나 서서 폼을 잡으며 찍은 낡은 사진들이 붙어 있다.

옛날 사람이나 지금 사람이나 바위 위에서 폼 잡으며 사진을 찍는 것은 똑 같다.

옛날 분들은 뭐 좀 다른 가 했더니, 전혀 그렇지 않다.

24. 옛날 사람도 폼 잘 잡는다.

별로 크게 볼만한 건 없다.

그냥 돌아 나오며 절벽 밑을 내려다보기도 하고 층층이 쌓인 이상한
바위를 사진기에 담고는 밖으로 나온다.

144

25. 머리 좋은 사람은 잘 잊어버린다.

2016년 7월 26(화)

다시 차를 타고 루비 폭포로 간다.

분명히 옛날에 와본 곳인데도 전혀 새롭다.

거금을 내고 루비 폭포로 들어간다. 루비 폭포와 록시티를 합하여 36.95달러이다. 3살에서 12살까지 아이들은 21.90달러이고. 우린 어른 둘이니 이것만 해도 74달러 정도 드는 것 아닌가!

이런데 돌아다니면서 느끼는 것은 입장료가 정말 많이 든다는 것이다.

들어가면서도 큰 동굴 속에서 수직으로 떨어지는 폭포만 생각나는데, 엘리베이터를 타고 지하 90미터를 내려가 보니 석회암 동굴이다.

루비 폭포 동굴 속 석회암

왜 이 석회석들은 생각이 안 날까?

사람의 기억이란 특이한 것만 우선 기억하는 듯하다.

석회암 동굴의 죽순이나 돌기둥 같은 것은 다른 데에서도 많이 보았으니까 기억에서 사라진 것이리라. 다만 동굴 속에서 수직으로 내리꽂히는 커다란 폭포만 아직도 남아 있는 것이다.

루비 폭포 동굴 속 석회암

그때도 이렇게 많이 걸어들어 간 것인가? 계속 석회암들이 연출해내는 광경을 구경하면서도 폭포 생각뿐이다.

33년 동안에 이렇게 변한 것인지, 아니면 그대로인지는 잘 모르겠다. 통 기억이 안 나서.

이건 내가 머리가 좋다는 증거이다. 머리 좋은 사람은 잘 잊어버린다.

테네시

반면에 나쁜 사람은 오래 기억한다.

머리 좋은 사람이 왜 빨리 잊어버리는가 하면, 그래야 새로운 것을 기억할 수 있으니까 그런 것이다.

이건 순전히 내 학설이다.

내 학설에 따르면 난 머리가 참 좋은 것이다. 집사람은 나보다 머리가 조금 나쁜 것이고. 왜냐면 옛것을 시시콜콜한 것까지 나보다 훨씬 더 잘 기억하고 있으니까 하는 말이다.

그러니 건망증 심한 분들, 잘 잊는다고 절대 기죽지 말라!

내 학설은 잘 잊는 사람들에게 희망을 주는 참 좋은 학설이다.

심리학자들은 왜 이런 좋은 학설을 무시하나 몰라~.

한 20분쯤 들어가니 드디어 폭포다.

루비 폭포 동굴 속 석회암

25. 머리 좋은 사람은 잘 잊어버린다.

루비 폭포 동굴 속 석회암

이 폭포는 동굴 속 약 50미터 높이에서 수직으로 떨어지는 폭포이다.

붉은 빛 조명이 분홍빛 조명으로, 그리고 보랏빛, 푸른 빛 조명으로 바뀔 때마다 물의 색깔이 달라지는데, 어찌되었든 동굴 속 50미터 높이에서 떨어지는 물줄기가 신기하기만 하다.

조명이 없을 땐 그냥 캄캄한 가운데 폭포 소리만 들릴 뿐이다.

이 폭포는 동굴 최초로 전기가 가설된 곳이라 하며, 약 3,000만 년 전에 형성된 것으로 추정하고 있다.

이 폭포는 쿠바 위기 때 핵공격을 피하기 위한 지하대피소로 사용된 적도 있고, 최대 720명이 대피할 수 있다고 한다.

이 폭포는 1928년 레오 램버트라는 사람이 발견한 것인데, 지 마누

테네시

루비 폭포

25. 머리 좋은 사람은 잘 잊어버린다.

라 이름을 따 루비 폭포라 이름지었다고 한다.

남편을 잘 만나면, 부인 이름이 세상에 널리 퍼진다. 이 폭포의 경우가 그러하다.

나는 언제나 우리 마누라 이름을 붙여주는 발견을 할 것인가?

에잉~. 갑자기 마음이 무거워진다.

어찌되었든 이제 볼 건 다 보았으니 나가야 한다.

되돌아 나온다.

테네시

26. 저절로 감사 기도가 나온다.

2016년 7월 27(수)

아텐스(Athens)의 호텔에서 나와 75번 도로를 타고 북상한다. 렉싱턴 (Lexington)으로 가는 길에 다니엘 분 국유림(Daniel Boone National Forest)을 지나가기로 했다. 경치 좋은 길로 표시되어 있는 지도를 보고 이 국유림을 통과하기로 한 것이다.

이 국유림은 애팔래치아 산맥을 처음으로 넘어 켄터키 주를 개척한 미국의 민중 영웅 중 하나인 다니엘 분을 기념하여 붙인 이름이다.

이 국유림으로 들어서자 자동차가 한 대만 지나갈 수 있는 아주 낡은

다니엘 분 국유림

다니엘 분 국유림: 숲

다리가 나온다.

주위는 말 그대로 숲으로 우거져 있다.

숲 가운데로 포장된 도로만이 주욱 뻗어 있을 뿐, 나도 차도 숲 속에 묻혀 있는 것이다.

크게 볼만한 것이 있는 건 아니지만, 숲속으로 달리는 길은 그저 쾌적하기만 하다.

렉싱턴에는 켄터키 주립대학이 있고, 웨스트버지니아 대학에서 동문 수학한 목OO 교수의 딸인 주영이가 심리학과 박사 과정에서 공부를 하고 있다.

시카고로 가는 길에 주영이를 만나 격려나 해주려고 여길 들린 것이다.

켄터키

다니엘 분 국유림을 지나며 렉싱턴 가는 길

옛날 모르간타운의 컬리지 파크에 살았을 때 주영이는 젖먹이였었는데 벌써 커 가지고 유학을 와 여기에서 공부하고 있는 것이다.

허긴 벌써 30여 년이 흘렀는데…….

세월은 참 빠르다.

렉싱턴 시내로 들어서 주영이에게 연락을 한다.

주영이가 살고 있는 집 앞으로 가니 주영이가 집으로 들어오라 한다.

잠간 들어갔다 나오기로 하고 들어가니 차를 내온다. 얼굴도 예쁘고 예의도 바르다. 잘 자랐구나 싶다.

언제 이리 커서 철이 들었누? 며느리 삼고 싶을 만큼! 정말 좋은 총각 있으면 중매해주고 싶다.

박사 과정이 거의 끝나간다고 하니, 학위 마치면 직장을 잡는다고 하지만, 어른들 생각에는 결혼이 더 먼저다.

빨리 시집가야 하는데…….

주영이를 데리고 나와 좋은 음식점으로 가자고 한다.

저녁을 사주며 이야기를 나눈다. 옛날이야기부터 현재까지 주내와 주영이는 이야기가 끝이 없다.

외국 땅에서 이렇게 만나니 반가울 수밖에 없는 것이다.

이번 여행은 이상하게 사람 만나는 여행이 되어 버렸다. 손녀인 승아와 함께 하였고, 뉴욕의 배 교수 딸, 더럼의 윤 교수 가족, 탐파의 장 사장 가족을 차례대로 방문한 뒤, 오늘은 목 교수 딸을 만나고 있는 것이다.

그리고 앞으로는 시카고에 사는 오랜 옛 친구 김수철 군을 만날 예정이다.

정말로 이번 여행은 좋은 경치나 풍경을 구경하기보다는 미국의 동부, 남부, 중부를 돌면서 옛날의 인연을 따라 알던 사람들의 가정방문이 뜻하지 않은 여행의 주 목적이 되어 버린 여행이다.

주영이와 이야기를 나누면서 보니 전혀 걱정할 필요가 없겠다.

목 교수, 걱정 안 해도 되겠수!

옛 인연이 있던 사람들이 모두 잘 살고 있음을 볼 때, 저절로 하느님께 감사 기도가 나온다.

하느님, 감사합니다.

27. 역사적 건물들보다는 역시 양조장이…….

2016년 7월 29(금)

아침에 일어나 켄터키 대학 쪽으로 차를 몬다.

렉싱턴은 참 조용하고 깨끗하고 아늑한 동네다. 가로수도 잘 우거져 있고, 그 속에 예쁜 집들과 대학 건물들이 들어서 있다.

켄터키대학의 윌리엄 영 도서관을 지나, 메인 스트리트를 타고 트라이앵글 파크(Triangle Park) 쪽으로 간다.

트라이앵글 파크에는 렉싱턴 센터가 있고 계단식 분수가 있다.

길게 이어진 이 계단식 분수와 큰 나무들로 둘러싸인 삼각형 형태의 이 공원은 100만 달러를 누군가가 기부하여 지은 것인데, 로버트 지온(Robert Zion)이라는 국제적으로 잘 알려진 조경건축가의 설계에 따라

렉싱턴 센터 앞 계단식 분수

지은 것이다.

트라이앵글 파크를 지나 다시 오른쪽으로 돌면 골목길 건너편에 성 바울 천주교성당(St Paul the Apostle Catholic Church)이 보인다.

이 성당은 고딕 재생 양식을 사용하여 1868년에 헌정된 것인데, 높이는 218피트이고, 시계는 1883년에 덧붙여진 것이다.

성 바울 천주교 성당

이 옆에는 렉싱턴 오페라 하우스가 있다.

다시 길을 따라 가면, 알레게니 산맥((Allegeny Mountains) 서쪽에서는 제일 오래된 대학인 트랜실베니아 대학(Transylvania University)이 있다.

이 대학은 1780년 세워진 이후 수많은 정치인을 배출한 유명한 대학이다.

156

패터슨의 오두막

이 대학 캠퍼스에는 렉싱턴의 기초를 다진 로버트 패터슨(Robert Patterson)이 1780년 4월 이전에 지어 놓은 낡은 오두막이 있어 눈길을 끈다.

설명문을 읽어보니, 이 오두막 역시 역사적인 건축물이다.

이 건물은 하인의 숙소로 사용되기도 하고, 연장을 넣는 헛간으로 사용되기도 했는데, 원래는 커리 런(Carie Run)에 있었던 것이 패터슨의 손자 농장이 있던 오하이오 주의 데이톤으로 옮겨졌다가 켄터키 주의 요청으로 트랜실베니아 대학으로 다시 돌아온 것이다.

이 근방에는 미국의 역사적인 건물들이 많이 모여 있다.

미국에서 처음으로 지어진 흑인들 교회인 성 바울 아프리칸 감리교회 (St. Paul African Methodist Episcopal Church)도 이 부근에 있고,

27. 역사적 건물보다는 역시 양조장이…….

1795년에 짓기 시작한 렉싱턴 공공도서관도 있다.

이 도서관의 일부는 카네기가 5만 달러를 기부하여 지은 것인데, 1905년 완성되기까지 책들은 렉싱톤 이곳저곳에 분산되어 보관되었다고 한다.

또한 1814년에 켄터키 최초의 백만장자인 헌팅턴이 지은 헌팅턴-모르간 하우스도 있다.

이 집은 벽돌로 지은 아름다운 집인데, 이 사람의 고손자인 헌팅턴은 유전자 연구로 노벨상을 받았다고 한다.

이 집은 관광객들에게 개방되어 있는데, 구경을 하려면 돈을 내야 한다.

이 이외에도 옛날 집으로 그룹 투어가 가능한 보드리-불록 하우스 (Bodeley-Bullock House)도 있고, 1872년에 완성된 고딕 양식의 첫 번

카네기 센터

째 장로교회(First Presbyterian Church)도 있고, 1796년에 조직되고 1840년대에 세워진 그리스도 교회도 있다.

여하튼 요 근방은 옛날의 미국 역사를 보여주는 건축물들이 많이 있다. 우린 그냥 차로 돌면서 이들의 바깥만 본다.

수박 겉핥기이겠으나, 어쩔 수 없다. 안내판에 있는 것을 대충대충 읽어보며 저들의 역사를 추정해보나, 이것마저도 나중엔 귀찮아진다. 우리 역사도 아니고~.

사실 뭘 제대로 알아야지 제대로 볼 것 아닌가!

렉싱턴을 떠나 루이빌(Louisville)로 가는 도중 프랑크포트(Frankfort)의 버펄로 트레이스 양조장(Buffalo Trace Distillery)엘 들린다.

켄터키는 예부터 버번(Bourbon: 옥수수로 만든 위스키)로 유명한 곳

버펄로 트레이스 양조장

27. 역사적 건물보다는 역시 양조장이…….

버펄로 트레이스 양조장: 술통들

이니 버번을 맛보지 않을 수 없기 때문이다.

이 양조장은 금주법(1920-33)이 시행되던 때에도 의학적 목적으로 버번을 생산했던, 수세기에 걸쳐 가장 오랫동안 쉬지 않고 버번을 생산해 온 양조장이다.

이런 역사적인 배경을 가지고 있어서 그런지, 그 규모도 엄청나고, 양조장을 구성하고 있는 붉은 벽돌 건물들 역시 시커멓게 변색되어 있어, 한눈에도 '역사적이구나!'라는 걸 느끼게 해준다.

벌써 11시 반이다.

투어는 매시간 사람들을 모아서 하는데, 처음 들어간 건물은 매장이었다. 여기는 각종 기념품과 선물용 상품들을 파는 곳이다. 한쪽에서는 술은 물론, 셔츠, 모자, 조그마한 악세사리 등을 팔고 있고 다른 한 쪽에는 술통 등이 전시되어 있다.

다시 밖으로 나와 이제 술통들이 좌우에 가득 들어찬 창고를 지난다. 오크로 만든 커다란 술통 뚜껑에는 언제 증류하여 저장하였는지를 표시한 날자가 찍혀 있다.

아마도 저 술통 안에선 술이 익어가고 있을 것이다.

머리 위로는 술을 운반하는 관들이 길게 이어져 있다.

그 다음 방에선 술을 병에 담아 병을 싸서 박스에 넣는 작업을 하는 곳이다.

자시 밖으로 나와 다른 건물로 들어선다.

드디어 시음하는 곳이다.

버펄로 트레이스 양조장: 시음

27. 역사적 건물보다는 역시 양조장이…….

루이빌

　사람들의 얼굴에 화색이 돈다. 모두 왁자지껄하며 얼굴엔 웃음꽃이 핀다. 허긴 지루한 투어시간이 끝났으니, 가장 기다리던 시간이기도 하다.

　여기저기서 한 잔 씩 달라고 하여 맛을 본다.

　말이 맛보는 거지 본질은 술을 마시는 거다. 물론 조금씩 주니까 계속 달라고 하기는 좀 그렇다.

　그렇지만 술이 종류가 많으니, 이것저것 맛을 보는 것으로도 충분하다.

　물론 그러다가 자신의 혓바닥에 맞는 술을 골라 사갈 수도 있다. 안 사고 그냥 맛만 볼 수도 있지만!

　반주할 거라며 비교적 입맛에 맞는 술을 한 병 산다.

　그리곤 다시 길을 떠난다. 루이빌로, 그리고 인디아나 주의 인디아나폴리스를 향하여.

켄터키

28. 지붕을 씌운 가장 오래된 다리

2016년 7월 30(토)

시무어(Seymour)에서 숙박을 한 다음 아침에 일어나 인디아나 대학이 있는 불루밍턴(Bloomington) 쪽으로 길을 잡는다.

50번 도로를 타고 가는 길에 메도라(Medora)에 들린다. 미국에서 나무로 만든 지붕을 덮어씌운 가장 오래된 다리가 있다고 해서다.

이 다리 이름은 메도라 지붕다리(Medora Covered Bridge)인데 1875년 건설된 지붕을 덮어씌운 가장 긴 나무다리이다.

사실 기대하고 가 봐야 실물은 그저 그렇다. 역사적 건축물이라고 하니 그러려니 할 뿐이다.

실제로 사람들이 대단하다고 하는 것들은 그 무엇인가에 의미를 부여

메도라: 지붕 있는 다리

메도라: 지붕 있는 다리

하였기 때문이다. 세계에서 가장 크다든가, 가장 오래되었다든가, 아니면 그 어떤 옛날이야기의 주인공과 관련되었다든가 등등의 의미를 부여하는 것이다.

그러니 그러한 의미를 중요시여기는 사람에겐 중요한 것이 되고 감명이 있겠으나, 그러한 의미에 대해 별로 관심이 없다든가 아니면, 다른 것에 관심을 가진 사람의 눈에는 그저 그런 것이 보통이다.

예컨대, 이 다리도 미국 역사상 지붕을 씌운 가장 오래된 다리라는 데 의미를 두고 있지만, 미국 역사상 지붕을 씌운 가장 오래된 다리보다는 그 주변 경치가 얼마나 아름다운가에 관심을 가지고 있는 나에게는 크게 다가오지 않는다.

어찌 되었든, 이 다리는 나무로 만들었는데, 다리 안에는 한 노인네가

인디아나

앉아 있다가 반갑게 일어서서 이 나무다리에 대해 설명을 해준다. 그리고 기부금을 받는다.

이 다리를 지나 메도라(Medora)라는 조그마한 시골 마을을 지나 블루밍턴으로 향한다.

가는 길에 길 양쪽에 차들이 일렬로 꽤 많이 주차하고 있고, 왼쪽 저 숲속에 사람들이 많이 모여 있다.

도대체 무슨 일일까?

궁금하면 못 참는 못된 성질이 있다.

우린 늘 앎에 굶주려 있다. 왜 그런지 알아내야 한다.

우리 역시 차를 세워 놓고 사람들이 몰려있는 곳으로 가 본다.

가보니 큰 집이 하나 있고, 그 앞에는 사람들이 집에서 안 쓰는 물건

경매장

28. 지붕을 씌운 가장 오래된 다리

들을 가지고 나와 벼룩시장을 열고 있다.

그렇지만 벼룩시장에서 물건을 구경하고 흥정하는 사람은 별로 없다. 그래서 물어본다.

"왜 여기 사람들이 모여 있는 거요?"

"경매를 기다리고 있는 겁니다."

알고 보니 경매장이다.

경매하는 것도 처음 보는 지라 호

인디아나 대학 블루밍턴 캠퍼스: 종탑

기심을 가지고 조금 보다가 다시 차를 타고 블루밍턴의 인디아나 대학으로 간다.

블루밍턴의 인디아나 대학 종탑을 지나, 도서관, 뮤지컬 아트 센터를 지나 인디아나 대학 캠퍼스를 한 바퀴 차로 돌며 구경한다.

역시 수박 겉핥기이다.

그렇지만 느낌은 있다.

아담하니 좋은 대학이라는, 공부하기 좋은 대학이라는 느낌이다.
다시 길을 잡아 일리노이 주로 향한다.

28. 지붕을 씌운 가장 오래된 다리

29. 세월은 위대한 힘이다

2016년 7월 31(일)

아침에 숙소인 에코노 로지 앤드 슈트(Econo Lodge and Suits)의 창문을 통해 바깥을 내다보니 넓은 잔디 위에서 다람쥐가 달려와 나무 위로 오르는 모습이 보인다.

이제 시카고를 향해 떠날 시간이다.

시카고에는 대학 때 절친했던 친구인 대웅 김수철 선생이 살고 있는 곳이다.

대웅을 못 본지도 벌써 아마 20여 년 이상 된 것 같다.

어찌 세월이 그리 빠른지…….

일찍 일리노이 주의 불루밍턴을 떠나 시카고로 간다.

다람쥐

일리노이

시카고 시 경관

10시가 채 못 되어 시카고의 건물들이 보인다.

물론 시카고는 처음이다.

옛날 1980년대 미국 유학 시절에 들었던 시카고는 정말 '무시무시한' 도시였는데, 지금은 전혀 그렇지 않은 듯하다.

허긴 그 당시 시카고뿐이랴? LA도, 뉴욕도 모두 험악한 곳으로 기억되었으나, 세월이 흘러서 그런지 그 험악함은 거의 자취를 감추어 버렸다.

비교적 안전하다는 옛날 대학 도시들은 인구 2-3만의 조그만 도시였지만 당시에는 밤에 함부로 돌아다니지 못했었다. 그만큼 치안이 불안했던 시절이다.

그러니 말로만 듣던 대도시는 얼마나 험악하고 무서운 곳이었을까?

그 당시 뉴욕의 친구를 방문했을 때에도, 어떤 지역은 낮에도 차를 몰고 들어가지 않는 게 좋다는 충고를 들었었고, 길가에 차를 세워놓으면 자동차 바퀴를 빼갔다는 그런 시절이었다.

그 가운데에서도 특히 시카고가 악명이 높았었는데, 창밖으로 보이는 도시의 경관은 평온 자체이다.

20세기 초 악명 높은 깽단 두목이었던 알 카포네의 명성 때문인지, 시카고는 1980년 당시에도 가장 험악한 지역으로 손꼽혔던 곳이다. 아마도 알 카포네를 흉내 내는 자들도 많았을 테고 그것이 시카고를 악명 높은 도시로 만들었으리라.

알 카포네는 방탄조끼 위에 양복을 입고, 방탄차를 타고 다녔다는데, 주 정부와 밀착 관계에 있어 잡을 수 없었다고 한다.

알 카포네가 연방정부의 재무부 수사대에 의해 탈세 혐의로 체포된 뒤 이 방탄차역시 압수되었는데, 재미있는 건, 미국 대통령이 처음으로 탄 방탄차가 이 차였다고 한다.

다시 말해서, 일본의 진주만 공습 이후 미국의 루즈벨트 대통령이 처음으로 방탄차를 타고 다니기 시작했는데, 당시 대통령 경호를 맡고 있던 재무부에서 소유하고 있던 유일한 방탄차가 이 차여서 루즈벨트 대통령이 이 차를 탔다고 한다.

이 말을 차 속에서 들은 루즈벨트 대통령께서는 "알 카포네 씨도 이해해 주겠지."라고 말씀하셨단다. ㅎ.

그러나 지금은 21세기이다. 허긴 거의 40년의 세월이 흘렀으니 당시의 험악함도 많이 순화되었을 것이다.

실제로 이런 이야기를 요즘 미국 젊은이들에게 이야기하면 믿지 않을 것이다. 그만큼 치안 상태도 좋아지고, 안전해진 것이다.

일리노이

노우스 시카고 온누리교회

세월은 위대한 힘이다.

대웅에게 전화했더니, 오늘 교회에 나가야 하니 교회로 오라고 한다. 노우스 시카고 온누리 교회로 간다.

이 교회는 시온 루터 교회(Zion Lutheran Church)의 일부를 빌려서 쓰고 있는 한인교회이다.

교회로 가 정말 오랜만에 벗 내외를 만난다.

반갑다!

반가운 것을 어찌 말로 다 할 수 있단 말인가!

세월은 모든 것을 변화시킨다.

대웅 내외도 우리 내외도 예외는 아니다. 옛날의 곱던 흔적은 그대로 남아 있지만……

30. 참 공부 많이 했다.

2016년 7월 31(일)

교회에서 점심을 먹고, 이제 디어필드(Deerfield)에 있는 대웅 집으로 가 여장을 푼다.

다시 나와 미시건 호반으로 간다.

호숫가를 따라 이어지는 길에서 본 미시건 호는 완전히 바다 같다.

허긴 미시건 호의 크기가 남한 면적의 80% 정도 라니…….

명문으로 알려진 노우스 웨스턴 대학 못 미쳐 바하이교의 사원(Baha'i House of Worship)이 있다.

사원의 건물이 엄청 크고 근사하다. 흰색의 건물은

바하이 사원

일리노이

아름답고 그 문양은 정교하다. 바하이교가 어떤 종교인지는 모르겠으나, 이 건물의 미적 감각은 정말 돋보인다.

그렇지만 어찌 건물만 보고 올 수 있을까?

바하이교가 무엇인지를 인터넷으로 찾아보니, 바하이교는 유일신을 믿는 종교로서 모든 인류의 정신적 융합을 강조하는 종교란다.

이 종교는 바하올라가 창시한 종교인데, 창조주 하나님은 한 분이시고, 이 하나님이 모든 종교의 정신적 근원이며, 모든 인류가 평등하게 창조되었다는 것이 신앙과 교리의 핵심이라 한다.

곧, 하나님의 단일성, 종교의 단일성, 인류의 단일성 등 세 가지 단일성을 핵심 원칙으로 삼는다.

따라서 바하이교에서는 모든 종교의 창시자들은 하나님의 말씀을 전

바하이 사원

30. 참 공부 많이 했다.

하기 위해 각 시대마다 온 것으로 보며, 그 시대의 필요성에 따라 종교를 만든 것이므로 본래 하나다라는 입장을 내세운다. 곧 아브라함 계열의 모세, 예수, 마호메드와 인도 계열인 크리슈나, 석가모니 부처 등이 하나님 말씀의 전달자들이라고 본다.

또한 바하이 믿음의 가르침에 따르면, 인간 존재의 목적은 기도와 성찰, 그리고 봉사를 통해 하나님을 알고, 사랑하는 방법을 배우는 것이라고 한다. 곧, 인간은 이성적인 영혼을 가지고 있으며, 이를 통하여 하나님을 알 수 있고, 하나님을 앎으로써 하나님께 가까이 갈 수 있다고 한다.

사람이 죽으면 다음 세상으로 가게 되는데, 이 세상에서의 정신적 성장이 다음 세계에서의 심판과 발전의 바탕이 된다.

천당과 지옥은 현세와 내세에서 하나님께 가까워지거나 멀어지는 정신적 상태를 의미하는 것이지, 보상과 처벌의 물질세계를 의미하는 것이 아니다.

바하이 경전은 인류의 화합을 강조한다. 곧, 모든 인간이 평등하고, 인류는 다양하지만 본질적으로 하나이며, 인종, 문화의 다양성은 감사와 인정의 대상으로 간주된다.

바하올라는 19세기 페르시아에서 이슬람교를 배경으로 이 종교를 창시하였는데, 이슬람교에서 이단으로 몰아 오스만 터키에서 추방당하고 결국 옥사하였다.

다른 바하이 신도들 역시 이슬람교의 박해를 피해 미국, 캐나다, 인도 등지로 떠나, 이란이나 터키 등 이슬람 지역에는 거의 남아 있지 않다고 한다.

현재 전 세계적으로 바하이교를 믿는 사람들은 700만 명 정도 된다

일리노이

미시건 호

고 하며, 북미의 교세를 대표하는 사원이 오늘 방문한, 북부 시카고의 부촌이 있는, 에반스톤의 이 사원이다.

가만히 보니, 바하이교는 그 내용을 보니 참으로 좋은 종교이다.

참 공부 많이 했다.

바하이교도 알고!

이래서 여행이 좋은 것이다.

바하이 사원을 나와 조금 가니 미시건 호를 끼고 있는 아름다운 캠퍼스를 가진 노우스 웨스턴 대학이 나온다.

경치도 좋고, 친구도 좋고, 분위기도 좋다.

오랜만에 벗을 만나고, 경치 좋은 곳에서 함께 산책을 하니 어찌 이보다 더 좋을 수 있겠는가!

이제 이곳에서 얼마 떨어지지 않은 한식당 〈명가〉로 가 저녁을 먹으며, 옛 대학 시절의 추억을 회상한다.

"유붕자원방래(有朋自遠訪來) 불역락호(不亦樂乎)"라는 공자님 말씀이 거짓이 아니다.

우리 부부가 대웅 부부를 만나 즐거워하는 것을 공자님이 미리 알고 하신 말씀 같다.

역시 존경받으실 만한 분이다.

일리노이

31. 그 아이디어가 훨씬 대단하다!

2016년 8월 1일(월)

대웅과 함께 아침 식사는 집 근처의 팬케이크 집에서 한다.

그리곤 대웅 차를 타고 시카고 시내로 나온다.

대웅 말에 따르면, 시카고가 참 살기 좋은 곳이란다. 옛날처럼 험악하지는 않다고 한다.

시카고 시내 중심부의 밀레니엄 파크(Millennium Park) 지하 주차장에 차를 세우고 구경을 한다.

주변의 건물들이 깨끗하고 아름답다. 그리고 기발하고 예술적이다.

밀레니엄 파크는 1997년 당시 시장이었던 리차드 데일리(Richard M. Daily) 씨가 계획하여 새천년인 2

시카고 시내 건물들

밀레니엄 파크: 구름의 문

1세기가 시작되는 2000년에 개장하기 위해 1998년부터 공사에 들어갔으나, 늦어져서 2004년 완공한 공원으로서 시카고의 명물이 되었다.

이 공원은 도심 중앙에 있는 문화 예술 공간으로서 시카고를 새로운 세계적인 예술의 도시로 돋보이게 하는 반면, 시민들이나 관광객에게 쉴 수 있는 공간을 제공하고 있다.

이 공원을 짓는 데에는 5,200억 원(4억7500만 달러)이라는 거대한 예산이 들어갔다는데, 이 돈은 전부 시민들의 기부금으로 충당되었다고 한다.

특히 처음 본 '구름의 문'(Cloud Gate)이라는 작품은 우리의 눈을 황홀하게 한다.

이 작품은 겉모양이 콩과 같아 '콩(bean)'이라는 별명을 가지고 있는

일리노이

178

밀레니엄 파크: 구름의 문

데, 세계적인 영국 출신 조각가 애니쉬 카푸르(Anish Kapoor)의 작품이다.

스테인리스로 만든 이 작품은 가로 20m, 세로 13m, 높이 13m, 무게 110톤이라는데, 3년에 걸쳐 약 250억 원(230만 달러)을 들여 만들었다고 한다.

밖에서 볼 때에는 반짝거리는 금속 표면에 시카고 건물들의 풍경이 깨끗하게 나타나고, 움직임에 따라 그 형태가 조금씩 바뀐다.

'콩' 안으로 들어가면, 가운데가 3.7미터 정도 우묵하게 부드럽게 패여 있는데, 옆을 보거나 위를 보면 키다리가 난장이가 되고 난장이가 키다리가 되어 금속판에 비치고, 그것들이 또 다른 금속판에 비치어 수많은 종류의 내가 나타난다.

이걸 설계한 카푸르 씨도 이런 걸 예상했을까?

정말 신기하다. 그리고 이런 아이디어가 어찌 나왔을까, 한마디로 감

31. 그 아이디어가 훨씬 대단하다.

탄밖에 안 나온다.

그러니 돈이 문제가 아니다. 그 아이디어가 훨씬 대단하다.

경제학자들은 5,200억 원을 들여 만든 이 밀레니엄 파크가 창출하는 부가가치가 어마어마하다(1년에 2조원 이상이 된다)고 말하지만, 이는 돈으로만 따질 게 아니다.

예술가란 역시 대단한 존재들이다.

구름의 문으로 들어갔다 나왔다 하면서 동서남북 옆면과 아래 위를 쳐다보고 또 쳐다본다.

한편 이 구름의 문 저쪽 편에는 큰 빌딩이 솟아 있고, 위에서부터 물이 흘러내리는데, 그 빌딩 벽면으로는 시카고 시민들의 갖가지 얼굴 표정이 등장한다.

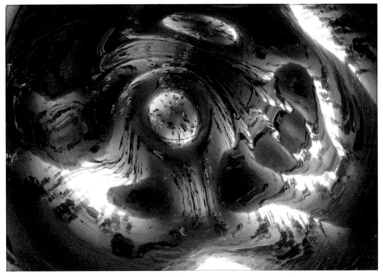

밀레니엄 파크: 구름의 문

일리노이

요건 크라운 분수(Crown Fountain)라는데, 스페인 출신의 하우메 플렌사(Jaume Plensa)가 디자인하여 2006년에 완성한 것이다.

크라운 분수라고 하니까 아마 안 보신 분들은 이 분수가 왕관처럼 생겼다고 상상하실지 모르겠다.

그렇지만, 미안하게도 이 분수는 왕관 모습이 전혀 아니다.

근데 왜 크라운 파운틴이라고 할까?

요걸 모르고 넘어가면 안 된다.

요 분수는 그냥 직사면체 형태의 건물 벽을 흐르는 물과 벽면에 설치된 LED 스크린에 등장하여 그 갖가지 표정을 짓는 시민들의 얼굴과 그 얼굴 모습의 입에서 뻗어 나오는 물줄기에 아이들이 좋다고 물벼락을 맞는 모습이 기억에 남는다.

크라운 분수

31. 그 아이디어가 훨씬 대단하다.

그렇지만 그 어느 것도 왕관과는 관련이 없는 듯한다……

나중에 알고 보니 레스터 크라운(Lester Crown)이라는 착한 사람이 천만 달러를 기부하였기에 이 분수 이름을 이 착한 분의 이름을 따서 지었다고 한다.

여하튼, 이 분수에서는 어른 아이 할 것 없이 물놀이를 즐기고 있다 벽 중앙에서 뻗어 나오는 물줄기를 줄을 서서 기다리며!

요 분수는, 분수는 분수이되, 디지털 기술을 응용한 예술품(Digital Technology Art)인 셈이다.

이 분수를 보시려면 매년 5월부터 10월 사이에 오셔야 한다.

그 이유는?

시카고는 바람의 도시라고 불릴 정도로 바람이 많은 도시인데, 특히 겨울의 매서운 칼바람이 유명하다. 그러니 겨울에 이 분수를 자동하면 얼어서 동파 사고가 날 수 있기 때문이다.

그리곤 다시 공원 안쪽으로 들어간다.

마치 철판을 휘게 하여 지붕으로 장식한 듯한 야외 공연장이 나온다.

저쪽 건물들을 배경으로, 쇠 파이프와 시계태엽을 잘라서 만든 듯한 이 건물은 엑셀론 파빌리언(Exelon Pavilion)이라는 이름이 벽에 새겨져 있다.

이 건물은 프랭크 케리(Frank Kerry)라는 건축가가 설계한 것인데, 제이 프리츠커 파빌리언(Jay Pritzker Pavilon)이라고도 한다.

제이 프리츠커는 시카고 출신의 기업가로서 살아있는 건축가나 예술가들이 받을 수 있는 최고의 영예로운 상인 프리츠커 건축상을 만든 사람인데, 이 건물은 이 사람의 이름을 딴 듯하다.

일리노이

182

이 야외 공연장은 4,000석의 의자가 놓여 있고, 그 뒤로는 7,000여 명의 사람들이 피크닉을 즐기며 공연을 관람할 수 있는 잔디가 깔려 있다.

잔디밭 위로는 쇠파이프 같은 것이 연결되어 있는데, 이 쇠파이프 곳곳에 스피커가 매달려 있다.

이 공연장에선 봄부터 가을까지 야외공연이 이어지는데, 그 가운데 가장 유명한 것이 세계 최대 규모의 재즈 페스티벌이다.

시카고가 '재즈의 도시'라는데, 그 이름답게, 매년 9월 첫 번째 일요일 전후로 4일 동안 전 세계의 재즈 연주자들이 공연한다고 하니, 때를 잘 마주어 오시면 이를 볼 수 있을 것이다.

또한 이 공원 안에는 루리 가든(Lurie Garden)이라는 꽃밭이 있어

엑셀론 파빌리언

31. 그 아이디어가 훨씬 대단하다.

리그리 광장

각종 희귀한 꽃들과 나무들을 볼 수 있고, 이 이외에도 24개의 기둥을 가진 타원형 그리스 양식의 기념조형물로 리그리 광장(Wrigley Square) 이 있다.

이 기념물은 100만 달러를 들여 리그리(Wrigley) 회사가 만든 것인 데, 이 기념물 뒤에 이 회사의 빌딩이 있다.

어찌되었든 이 공원은 시카고 시민의 휴식처이자, 시카고 시의 문화 예술적 품격을 높여주는 공원이 되었다고 할 것이다.

뿐만 아니라 이러한 문화 예술적 가치 때문에 관광객이 몰려들어 그 경제적 가치도 무시할 수 없다고 한다.

우리 부산시도 이러한 것은 본받아야 할 일이다.

32. 끼리끼리 노는 것이니까!

2016년 8월 1일(월)

이제 밀레니엄 공원을 벗어나 시내 빌딩들을 구경한다.

여러 빌딩들 가운데, 금년 대통령 선거에 입후보한 트럼프가 세웠다는 트럼프 빌딩을 들어가 본다.

부동산개발업자이며, 공화당 대통령 후보로 선출된 트럼프가 폼 잡기 위해 세운 이 건물은 2009년에 완공된 건물인데, 시카고 강을 앞에 두고 미시간 호를 내려다보고 있다.

이 빌딩은 92층으로 꼭대기 첨탑까지 높이는 415m이고, 그 안에 트럼프 인터내셔날 호텔(Trump International Hotel)이 들어서 있다.

여기까지 왔는데, 여기는 들어가

트럼프 빌딩

보아야 한다.

들어가 보니, 호텔 프런트가 보인다. 여기 묵는 것도 아닌데, 더 이상 들어가기는 좀 뭣해서 얼른 나온다.

고백하건대, 사실 별거 없는데, 괜히 주눅이 들어서 나온 거다.

한 40만 원만 있으면 여기에 묵을 수도 있는데, 기가 죽다니!

그 정도 돈이 없는 것도 아니고, 내가 트럼프보다는 훨씬 똑똑하고, 잘 생겼는데, 왜 기가 죽었을까? 에이, 대한 남아답지 않게!

반성한다.

그런데 이 양반이 미국 대통령이 되었고, 이 글을 쓸 때에는 싱가포르에서 김정은이와 북미정상회담을 하고 있다.

그래서 세상은 요지경 속이다!

나보다 잘 생긴 것도 아니고, 인격이 훌륭한 것은 전혀 아닌 듯하고, 단지 돈이 많다는 것뿐인데, 김정은이하고 정상회담을 한다?

허긴 김정은이도 그렇다. 나보다 젊은 것과 배 나온 것 빼고 뭐 잘난 게 있나?

허긴 끼리끼리 노는 것이니까~.

트럼프는 김정은이 하고 놀고, 나는 마누라랑 놀면 되는 거지 뭐!

사실 트럼프하고 나하고 다른 점은 이거 말고도 많이 있다.

그 가운데 핵심적이고 본질적인 것은 트럼프는 시도하고 나는 시도하지 않았다는 차이이다.

그러니 젊은이들이여! 시도하라! 시도. 시도. 시도! 시도하면 여러분도 미래의 김정은이나 트럼프하고 정상회담도 할 수 있다.

김정은이야 뭐 백두혈통인가 뭔가 하는 별 거 아닌 핏줄을 받아 그렇

일리노이

186

게 되었으니, 우리가 이런 건 바랄 게 못 된다.

중요한 건, 이 세상에서 각자의 삶은 다 다른 것이고 그것은 그 나름대로 최고의 가치를 가지고 있다는 거다.

쪼께 쉽게 말해서, 내 생활이, 아니 독자 여러분 개개인의 생활이, 트럼프나 김정은보다 훨씬 낫다는 거다.

어찌되었든 요 트럼프 빌딩 이외에도 멋있는 빌딩들이 많이 있다. 이 빌딩 저 빌딩들을 구경하며 이제 늦은 점심을 먹으러 간다.

시카고 급수탑

점심 식사를 한 곳은 미시간 호 옆의 마천루에 있는 식당인데, 가는 길에 본 급수탑이 인상적이다.

모든 현대식 마천루들 가운데에 옛날 시카고 다운타운의 고급주택가에 수돗물을 공급하던 급수탑(Water Tower)이 이색적

존 핸콕 센터

이다.

이 탑은 1869년에 지은 것으로서 켄터키 루이빌의 워터 타워에 이어 미국에서 두 번째로 오래된 급수탑이라 한다.

높이 47m의 이 탑은 1871년 시카고 전역이 불에 탄 대화재에도 살아남은 유일한 공공건물이라 한다.

과연 옛날 시카고의 랜드마크 역할을 톡톡히 했음직하다.

존 핸콕 센터(John Hancock Center) 빌딩인가 뭔가 하는 빌딩으로 들어간다.

들어가니 둥그런 조형물이 반짝거리며 눈길을 끈다. 그 아래는 둥근 까만 유리로 장식되어 있고, 그 주변엔 앉을 수 있게 되어 있다.

대웅이 이끄는 대로 엘리베이터를 타고 95층인가로 올라가보니 여기

일리노이

존 핸콕 센터 빌딩의 95층에서 본 시카고의 마천루

가 식당이다.

자리에 앉으니 오른쪽으로 미시간 호수와 함께 강변의 모래사장이 보인다.

여기에 앉아 미시간 호를 바라보며 늦은 점심을 먹는다. 어떤 요리를 시켰는지는 잘 기억이 나지 않으나, 느긋하게 잘 먹고 잘 구경한다.

대웅이 몇 십 년 만에 만난 친구를 위해 최고의 식사자리를 마련해 준 것이다.

식사비도 꽤 나왔을 것이다.

감사한다. 대웅 내외에게.

친구를 잘 둔 덕에 나도 이런 호사를 누린 것이다.

그래서 사람은 친구를 잘 두어야 한다. ㅎ.

존 핸콕 센터 빌딩의 95층에서 본 미시간 호수

일리노이

33. 시카고의 아름다운 밤

2016년 8월 1(월)

이제는 야경 감상이다.

훌륭한 친구 대웅 선생의 프로그램에 따라 뉘엿뉘엿 지는 해를 보며 이제 미시건 호에서 배를 탄다.

미시건 호에서의 해넘이를 시카고 마천루의 실루엣을 배경으로 즐기기 위한 것이다.

배를 타고 시카고 강을 따라 미시건 호로 나아가면서 주변의 빌딩들을 사진에 넣는다.

미시건 호에서 시카고 시내 쪽을 본다.

미시건 호의 해넘이: 시카고의 마천루

미시건 호의 해넘이: 시카고의 마천루

미시건 호의 해넘이: 시카고의 마천루

일리노이

미시건 호의 해넘이: 노을

미시건 호의 해넘이: 노을

33. 시카고의 아름다운 밤

시카고의 마천루: 야경

시카고 높은 빌딩들이 지는 해의 햇빛을 받아 붉으스레 빛나는데, 강바람은 시원하고 마음은 즐겁다.

저쪽 해군 부두(Navy Pier)에는 둥글게 돌아가는 센테니얼 휠(Centennial Wheel)이라는 이름의 놀이기구가 보이고, 그 부두 끝에는 두 개의 탑 사이로 둥근 천정을 가진 아온 그랜드 볼룸(Aon Grand Ball room)이라는 건물이 보인다.

해질녘 미시건 호수에서 보는 시카고 풍경은 아름답고 평온하다.

지는 햇빛을 받아 붉으스레 빛나던 빌딩들이 점점 어두워지면서 검은 실루엣으로 변한다.

해가 서쪽 빌딩 사이로 숨어들기 시작하자 서녘 하늘은 붉어지고 마천루들만 까맣게 빛난다.

일리노이

참으로 아름다운 해넘이이다.

배부르겠다, 친구 있겠다, 마누라 있겠다, 강바람 시원하겠다, 붉은 노을 속에 까맣게 빛나는 아름다운 풍경이 있겠다. 그 무엇을 바라랴!

이제 까맣게 빛나던 빌딩들에도 불이 들어오기 시작하고 이는 또 다른 아름다움을 연출한다.

시카고의 아름다운 밤이다.

34. 우리나라 최고!

2016년 8월 3일(수)

새벽에 시카고를 떠난다.

친구를 놔두고 떠나려니, "언제나 또 만나볼 수 있으려나?"라는 생각에 잠시 서글퍼진다.

그러나 어쩌랴! 서로 생활이 있는 걸.

세상의 인연이란 게 참으로 순간이다.

헤어짐의 슬픔을 뒤로 하고 미시건 호수를 따라 북쪽으로 달린다.

아침 8시 반, 위스컨신 주 커노샤(Kenosha)의 맥도날도에서 아침을

미시건 호의 해넘이: 노을

먹는다.

여행은 일찍 출발하고, 저녁엔 일찍 들어가서 쉬는 것이 좋다. 환할 때 많이 돌아다닐 수 있어서이다.

사람에 따라서는 늦잠 자는 것을 좋아하여 느긋하게 출발하는 분도 있을 수 있으나, 그러면 돌아다닐 시간이 짧아진다.

물론 밤늦게까지 차량을 움직일 수는 있겠으나, 낯선 곳에선 호텔을 찾기가 쉽지 않기 때문이다.

이런 경우 사람들은 "네비게이션이 있지 않은가?"라고 말할지도 모른다.

이는 몰라서 하는 말이다.

네비게이션에 의지할 수 없는 것은 아니지만, 미국은 넓고 큰 나라여서 네비게이션을, 사용하는 일이 쉽지 않기 때문이다.

우선 인터넷이

시카고 시내 빌딩

잘 안 잡히는 지역도 많다. 이런 곳에선 네비게이션이 무용지물이다.

인터넷이 잡히는 지역에서도 문제는 많다. 미국엔 같은 지명이 많이 있기 때문이다.

예컨대, 워싱톤이라고 치면 워싱톤 DC, 워싱턴 주뿐만 아니라, 워싱톤이란 소도시, 워싱톤 애버뉴, 워싱톤 스트리트 등등 수많은 지명이 나타난다.

물론 이런 지명 옆에는 현 지점에서 그곳까지의 거리가 표시되어 나오니 가까운 지역부터 찾아볼 수는 있으나, 이것 역시 쉬운 일이 아니다.

왜냐면, 가까운 곳에 있는 조그만 도시들에도 같은 지명이 중복되어 있는 경우가 많은 까닭이다.

예컨대, 워싱톤 스트리트라는 지명은 현 지점에서 가까운 도시 A, B, C에서 모두 발견할 수 있기 때문이다.

이는 워싱톤으로 향해 뻗은 길에 모두 워싱톤 스트리트나 워싱톤 애버뉴 따위의 거리 이름을 부여하는 미국인들의 습관 때문이다.

사실 이런 이름을 붙이는 것은, 다른 한편으로는, 그 도시에 사는 사람들에겐 워싱톤이라는 도시로 가는 방향을 보여주기 때문에 편리할 수 있다.

그렇지만 각 도시마다 워싱턴으로 향하는 길 이름에 워싱톤 스트리트, 워싱톤 애버뉴, 워싱턴 로드 등의 이름을 붙이게 되면, 이들이 중복되어 네비게이션에 나타나기 때문에 어느 것이 내가 가려는 곳인지 판단하기가 모호한 경우가 많다.

그래서 네비게이션을 보고 길을 찾으려면 어느 곳으로 네비게이션을 맞추어 놓아야 할 것인지를 신중히 결정해야 한다.

네비게이션에서 가려는 곳의 이름을 치면 수십 개 어떤 경우에는 백 개도 넘는 지명이 나타나는데, 이런 경우 혼신의 힘을 기울여서, 머릿속으로 어떤 곳이 내가 가려는 곳인지를 추리해 내야 한다.

그렇지 않으면 전혀 엉뚱한 곳으로 가게 된다.

그래서 미국에서 네비게이션을 이용하려면, 머리가 좋아야 한다. 아님, 반대로 네비게이션을 많이 이용하여 여행을 하다 보면 추리 능력이 발달되기도 하겠지만!

한마디로 네비게이션의 찾기 기능이 편리하게 만들어 지지 않았기 때문에 생기는 일이다. 소프트웨어의 문제이다.

미국에서 네비게이션을 이용하려면 정말 어렵다. 앞으로는 쉬워질지 모르겠으나…….

우리나라처럼 인터넷이 잘 되어 있고, 네비게이션 앱의 찾기 기능이 잘 되어 있는 곳도 드물다.

우리나라 최고다.

그래서 미국에선 네비게이션에만 의지해서는 안 된다. 지도에 의지하고, 네비게이션은 보조로 이용하는 편이 낫다.

어떤 경우에는 지도를 보고 거리의 표지판을 보고 가는 것이 훨씬 편할 때도 있다.

상대적으로 미국에서 지도는 참 잘 되어 있다. 그리고 고속도로 휴게소에는 늘 그 곳의 지도가 비치되어 있어 무료로 얻을 수 있다.

이런 건 정말 잘 되어 있으니 많이 이용하시도록!

미시건 호를 따라 커노사(Kanosa)와 밀워키(Milwaukee)를 거쳐 매디슨을 지나 윈저(Windsor)에 있는 데이스 인(Days Inn)에서 짐을 푼다.

34. 우리나라 최고!

35. 별로 볼 게 없네.

아침 일찍 오 클레어(Eau Claire) 쪽으로 향한다.

밀 블러프(Mill Bluff) 주립공원 못 미쳐 오른쪽으로 요상한 바위들이 보인다.

요건 보고 가야 한다.

오른쪽 길로 빠져 들어가 보니 캐슬 록(Castle Rock)이라는 표지판이 보인다.

차를 세워 놓고 층층으로 된 바위산을 둘러본다. 산이라기보다 커다란 바위가 성벽처럼 이루어진 곳을 한 바퀴 돈다.

아름다운 경치는 아니지만 바위들이 성벽을 이루듯 솟아있는 것이

위스컨신: 케슬 록 웨이사이드

200

케슬 록

신기하다.

그렇지만 반드시 보아야 할 필요는 없는 듯하다.

바쁜 사람은 안 봐도 된다.

캐슬 록에서 나와 다시 고속도로로 들어선다.

저쪽 하늘 위로 비행기가 날아간다.

이 지역은 캠프 더글라스라는 군부대가 있고 비행장이 있는 곳이라서 그런 모양이다.

본디 오 클레어(Eau Claire)를 지나 미네소타의 세인트 폴(St. Paul)을 들려 북쪽으로 가 슈페리오 호수를 따라 캐나다로 들어가려 하였으나, 그러려면 하루가 더 걸릴 것 같아 오 클레어에서 63번 도로를 타고 북쪽으로 길을 잡는다.

여기에서 북쪽의 슈피리어 호수에 있는 도시 둘루스(Duluth)로 가려다가 다시 마음이 바뀌어 8번 도로를 타고 동쪽으로

35. 별로 볼 게 없네.

향한다.

사람 마음이란 이렇게 시시각각으로 바뀌는 거다.

이를 누군가는 변덕이 심하다고 하기도 하고 누군가는 상황에 잘 적응한다고 이야기한다.

이왕이면 좋은 소리가 좋은 것이라고, 우린 상황에 잘 적응하고 있는 것이다. 예리한 판단력과 함께!

이 길은 고속도로가 아니어서 막 달릴 필요도 없고 주변 경치를 보며 드라이브하기 좋은 길이다.

차들도 별로 안 다니는데, 길은 훤히 잘 뚫려 있어 전혀 막히지 않는다.

하루 종일 달린다.

오후 7시쯤 위스컨신 주와 미시건 주의 경계선을 지나 아이언 마운틴(Iron Mountain)의 호텔로 들어간다.

아이언 마운틴이라는 이름에 끌려 이곳으로 왔으나, 도시는 자그마하니 아담하나 크게 볼 것은 없다.

36. 캐나다 풍경 이것저것

2016년 8월 5일(금)-6일(토)

아이언 마운틴에서 다시 길을 떠난다.

2번 도로를 따라 미시건 호수 쪽의 에스카바나(Escabana)로, 여기에서부터는 미시건 호수를 따라 캐나다 국경이 있는 곳으로 계속 달린다.

오른쪽으로 보이는 미시건 호수가 넓기는 넓다.

호수에 있는 갈매기들도, 오리들도 한가롭다.

햇빛에 비치는 호수의 표면은 은빛으로 빛난다.

가면서 사진을 몇 장 박고는 좌우 숲 사이로 난 길을 계속 달린다.

길에는 차들도 별로 안 다닌다.

오후 1시쯤 미국과 캐나다 국경이 있는 다리를 만난다.

미시건 호수

미국-캐나다 국경

이 다리는 슈피리어 호수와 휴런 호수가 이어지는 곳에 놓인 다리이다. 곧, 이 다리 왼쪽은 슈피리어 호수이고 오른쪽은 휴런 호수이다.

이 다리를 넘어서면 캐나다이다.

국경에서는 간단히 여권을 확인하고는 캐나다로 들어선다. 저쪽으로 면세점 건물이 보인다.

캐나다라고 미국과 다른 것은 별로 없다.

이 도시는 수 세인트 마리(Sault Sainte. Marie)라는 자그마한 도시이다.

이제부터는 휴런 호수이다. 휴론 호수나 미시건 호수나 내 눈엔 그게 그거다. 그저 넓은 바다 같은 호수이다.

눈앞에 보이는 호수는 휴론 호의 일부분이긴 하지만, 앞에 섬들이 죽

캐나다 온타리오

캐나다: 아이언 브리지

캐나다: 아이언 브리지

36. 캐나다 풍경 이것저것

있어서 갇혀져 있는데, 이름은 북쪽 해협(North Channel)이다.

오후 5시쯤 온타리오 주의 아이언 브리지라는 도시로 들어간다.

이 도시는 철로 만든 다리 때문에 이런 이름을 붙인 듯하다.

도시는 한적하고 깨끗하다.

오늘은 일찍 빌리지 인 모텔이라는 호텔을 찾아 들어가 쉰다.

다음 날 아침 7시 20분에 호텔을 나선다. 그리고 동쪽으로 달린다.

그랜드 수드베리(Grand Sudbury)에서 토론토를 향해 남하한다. 가는 도중 킬라르니(Killarney) 주립공원에 들려볼까 했으나, 길은 멀고 이러면 오늘 하루가 다 갈 것 같아 과감히 생략한다.

남쪽으로 가는 길에 그런디(Grandy) 호수가 있어 들어가 본다. 알고 보니 온타리오 그런디 주립공원이다.

그런디 호수

캐나다 온타리오

그런디 주립공원

호수는 언제보아도 아름답다. 호변에는 햇빛을 즐기는 사람들이 발가 벗고 모래사장에 앉아 있다. 다른 쪽에서는 먹을 것을 준비하며 즐거워하고 있다.

사람들은 먹을 것을 앞에 놓으면 먹지 아니하여도 즐거워진다는 건 동서양을 막론하고 진리인 모양이다.

허긴 식탁 앞에선 즐거워야 한다. 그렇지 않으면 체하는 법이다.

호수 위에는 요트가 떠 있는. 평화로운 풍경이다.

다시 조지아 만을 끼고 다시 남쪽으로 내려간다.

드디어 토론토다

토론토 시내를 거쳐 브램튼(Bramton) 쪽으로 가 호텔을 잡는다.

37. 내가 즐거우면 남도 즐겁다.

2016년 8월 7일(일)

온타리오 주의 조지타운에 있는 세다 스프링스 호텔에서 아침 일찍 차를 타고 10번 도로를 타고 조지만과 휴론 호가 만나는 곳인 토버모리 (Tobermory)로 향한다.

가는 길 중간엔 풍력발전을 일으키는 팔랑개비들이 푸른 하늘을 향해 솟아 있다.

가는 길은 평원이고, 들판 가운데 있는 집들이 평화롭다.

10시쯤 6번 도로로 들어서자 곧 오엔스 사운드(Owens Sound)라는 도시를 지난다.

이 도시 역시 한적하고 평화롭다.

10번 도로가의 팔랑개비: 풍력 발전

캐나다 온타리오

오엔스 사운드의 교회

교회의 사진을 하나 찍고는 다시 북쪽으로 달린다. 여기에서 북쪽으로 끝까지 가면 토버모리이다.

12시 쯤 토버모리에 도착한다.

앞에는 호수가 펼쳐져 있고 옆으로는 숲이 있다.

왼쪽 숲 속으로 난 길을 따라 들어가 보니 호수는 전혀 안 보이고 나무만 빽빽하다. 가끔 숲 사이로 난 길이 있어 들어가 보면 집들이 나타나고 그 너머에 호수가 있다.

길을 따라 들어가 보니 비그 터브(Big Tub) 등대가 나온다.

적당한 곳에 차를 세우고 호숫가로 간다.

호숫가는 구멍 난 바위로 되어 있는데, 그 가운데에 예쁜 등대가 있다.

등대 주위에는 역시 벌거벗은 사람들이 햇빛을 즐기거나 물에 들거나 하면서 즐거워한다.

나는 이런 걸 보면서 즐거워한다.

사람의 마음이란 참으로 요상하다. 전염성을 가지고 있다.

즐거워하는 사람들 옆으로 가면 즐거움이 전염된다. 슬퍼하는 사람들 옆으로 지나가면 나도 모르게 슬퍼진다.

그러니 가능하면 다른 사람들을 즐겁게 해주기 위해서라도 나 자신이 즐거워야 한다.

내가 즐거워야 남도 즐거워지니까.

저쪽 호숫가로는 별장들이 호수를 면해서 숲속에 자리 잡고 있고, 그 앞에는 요트들이 정박해 있고, 자그마한 널빤지 같은 쪽배를 젓는 비키니 입은 처녀도 있다.

모든 게 평화롭고 즐거운 것이다.

여기에 있으면 왜 사람들이 싸우는지를 모르겠다.

토버모리: 비그 터브 등대

캐나다 온타리오

토버모리: 비그 터브

벌써 1시가 넘었다. 아무리 평화가 좋고, 벌거벗은 여성들을 훔쳐보는 것이 즐거울지라도 밥이 먼저다.

다시 해변에서 나와 먹자골목의 음식점으로 간다.

제일 사람들이 많이 붐비는 곳으로 들어가 자리를 잡고는 피시 앤 칩스(Fish and Chips)를 시킨다.

옛날 영국 옥스포드에 갔을 때 먹어 본 피시 앤 칩스가 생각났기 때문이다.

난 서양 요리 중 생선 요리로는 피시 앤 칩스밖에 모른다.

이 식당은 주로 피시 앤 칩스를 주로 파는 곳인데, 이 인분을 시키면 무한 리필해주는 곳이기에 주저 없이 피시 앤 칩스를 시킨 것이다.

어쩐지 사람이 많더라니……

무한 리필은 서양 사람들도 다 좋아한다. 공짜로, 덤으로 먹는 것이 더 맛있다는 건 동서고금을 막론하고 진리이다.

그렇지만 주문한 두 개의 양도 꽤 많아서 더 시켜 먹을 필요는 없다.

음식도 맛있고, 흥청거리는 분위기도 좋은 식당이다. 돈은 쬐끔 비싸지만. .

이럭저럭 벌써 3시가 가까워진다.

즐거운 시간은 참 빨리도 흐른다.

이제 다른 곳을 둘러보아야 한다.

차를 타고 다시 남쪽으로 오엔스 사운드라는 도시로 간다. 여기에서 다시 동쪽으로 길을 잡는다.

왜냐구?

토버모리: 피시 앤 칩스

26번 도로에서 본 조지 만

우린 빠꾸는 안 하는 성질이기 때문이지.

26번 도로를 따라 동쪽으로 가는 길은 언덕길인데, 언덕에 올라서니 저 너머로 바다가 보인다. 전망이 끝내준다.

미포드(Meaford)에서 바다를 왼편에 두고 호숫가를 따라 와사가 비치(Wasaga Beach) 쪽으로 간다.

조지 만의 경치는 훌륭하다.

이제 5시 가까이 되었으니 호텔로 돌아갈 시간이다.

여기에서 42번 도로를 타고 남하하는 길은 18번 도로로 이어지는데, 이 길은 구릉지대를 통과하는 길이다. 계속 오르락내리락 한다, 어떤 곳은 그 경사 때문에 마치 청룡열차를 타는 듯하다.

다시 세다 스프링스 모텔로 돌아온다.

37. 내가 즐거우면 남도 즐겁다.

38. 토론토: 인공과 자연이 어우러지는 도시

2016년 8월 8일(월)

오늘의 목적지는 나이아가라이다.

아침 일찍 호텔을 떠나 나이아가라 폭포 쪽으로 가기 전에 토론토 시내도 구경해야 한다.

일단 토론토 쪽으로 길을 잡아 호숫가로 간다. 이 호수는 온타리오 호수이다.

단아한 주택가를 지나 세인트 로렌스(St. Lawrence) 공원에 차를 세우고 호숫가로 간다.

아침 공기가 상쾌하다.

공원에선 다람쥐 한 마리가 입에 먹이를 물고 뛰어가는 모습 보인다. 누가 쫓아오는지를 살피면서 멈추었다 뛰고 또 뛰어간다. 아침 먹

다람쥐

캐나다 토론토

온타리오 호: 수양버들

이를 빼앗기면 안 된다는 듯이!

온타리오 호수도 넓다.

호수를 끼고 있는 이 공원은 새벽이라서 그런지 사람이 별로 없다.

호숫가의 수양버들이 잔디 위에 놓여 있는 빈 의자에 그늘을 드리우고 있다.

어, 그런데 이 새벽에 비키니 입은 처녀가 호숫가에서 발을 담그는 모습이 보인다.

세상엔 이런 사람, 저런 사람, 여러 사람들이 있다. 저 비키니 입은 여인도 그런 사람들 중의 하나일 것이다.

이제 시내로 들어간다.

빨간 전차도 보이고, 차들도 많이 다닌다. 그렇지만 아직은 한적하다.

　시내의 현대식 빌딩들은 대부분 유리로 되어 있다. 유리로 짓는 것이 유행하는 모양이다. 저렇게 지어 놓으면 밑에서 보기는 좋지만, 냉난방비가 많이 들 텐데…….

　남의 나라 와서 이런 걱정도 해준다. 참 오지랖도 넓다.

　차를 몰고 가다보니 왼쪽으로 무슨 문 같은 것이 보인다. 엑시비션 플레이스(Exhibition Place)의 정문이다.

　항구 쪽으로 가니 코로네이션 공원(Coronation Park)이 있다. 여기에도 잔디와 나무들 그리고 조형물들이 바다와 어우러진다.

　토론토에는 공원도 많다. 시민들의 휴식 공간이 곳곳에 마련되어 있는 셈이다. 그래서 그런지 느낌은 참으로 평화롭다.

　저쪽으로 토론토의 랜드마크라 할 수 있는 CN탑(Canadian National

엑시비션 플레이스 정문

캐나다 토론토

Railway Tower)이 보인다.

이 탑은 553미터 높이의 전망대이다. 원래는 송신탑이었으나 지금은 관광용으로 변신했다고 한다.

특히 전망대에는 특수 강화유리로 만든 바닥에서 밑을 내려다 볼 수 있고, 지상 356m 높이에서는 손 놓고 레일에 부착된 끈에 몸을 맡긴 채 이 탑의 가장자리를 걸으며 한 바퀴 도는 체험(Edge Walk)을 해 볼 수

도 있다. 다만 이런 체험을 하는 데에는 225캐나다 달러 (약 20만 원)라는 거금이 든다.

"돈 없으면 못 혀!"

이 건물은 1976년부터 2007년까지 31년 동안 세계에서 제일 높은 건물이었다는데, 2007년 두바이에 830미터의 버즈 칼리파가 세워지면서 그 자리에서 쫓겨났다.

모든 게 한때이

CN Tower

다.

이 탑 옆으로는 메이저리그 프로 야구팀 토론토 블루제이스(Toronto Blue Jays)의 홈 경기장으로 쓰이는 로저스 센터(Rogers Centre)라는 이름의 돔이 보인다.

이곳을 지나면서 옛 시청 쪽으로 가는데, 포드 팬 존(Ford Fan Zone)에 온 것을 환영한다는 팻말과 함께 서 있는 조형물이 눈에 들어온다.

포드 팬 존: 조형물

차를 몰고 이제 옛 토론토 시청으로 간다.

옛 건물인 토론토 옛 시청도 볼만하다.

이 건물은 지금은 온타리오 주 법원 청사로 사용되고 있다.

옛 시청 건물을 한 바퀴 돌아 나오는 길옆으로 새 시청이 들어서 있다.

캐나다 토론토

토론토 시청

새 시청은 반원형의 현대식 쌍둥이 빌딩인데, 이 건물 역시 볼 만하다.

그 앞은 시민들의 휴식 공간으로 꾸며져 있는 나탄 필립스 광장 (Nathan Phillips Square)이다.

차로 돌면서 본 인상은 깔끔하다는 것, 대도시답지 않게 평화롭다는 것, 옛 건물과 현대식 건물이 조화롭게 상존한다는 것, 시민들의 휴식 공간이 공원이 많다는 것이다.

그리고 그 공원엔 잔디와 나무 이외에도 다람쥐와 새 등 동물들과 조각 등 조형물들이 어우러져 있어, 인공과 자연의 조화로움을 만끽할 수 있다는 것 등이 특히 기억에 남는다.

다시 올드 토론토(Old Toronto)를 나와 벌링톤(Burlington)을 거쳐 나이아가라로 간다.

39. '나이아가라'는 우리 옛말

2016년 8월 8일(월)

나이아가라에 예약해 놓은 호텔에 도착하니 1시 가까이 되었다.

일단 짐을 풀고, 점심을 먹고, 나이아가라 폭포 쪽으로 간다.

월요일인데도 불구하고 사람들이 많다.

미국 쪽의 나이아가라 폭포를 보니 과연 근사하다. 굉장하다.

나이아가라라는 말은 인디언 말로 천둥소리가 나는 물(강)이라는 뜻이다.

이 말은 우리 옛말에 그 어원을 두고 있다. 인디언이 우리 옛 겨레의 일부였다는 것을 증명하듯이!

곧, '나이아'는 천둥을 뜻하는 우리말 우레에서 홀소리 '우'의 소리값

미국 쪽 나이아가라: 아메리칸 폭포

캐나다 나이아가라

캐나다 쪽 나이아가라: 말발굽 폭포

이 약화되어 없어지고 남은 '레'와 같은 말이고, 이를 한자로 표기하면 뢰(雷)가 된다.

아마 인디언들은 이 강을 '우레가라/뢰가라'라고 불렀을 것이다. 이 말을 서양 사람들이 듣고 '나이아가라'라고 한 것이다. 곧, "뇌/뢰'를 천천히 발음하면 '나이아'로 들리기 때문이다.

한편, '가라'는 물이나 강을 뜻하는 우리 옛말, 글'에서 온 말이다.

따라서 나이아가라는 뇌성벽력이 치는 강이라는 뜻이다.

이 말의 뜻처럼 꽃밭을 지나 나이아가라 강 맞은편으로 미국 쪽 나이아가라 폭포가 휘장을 둘러친 듯 보인다. 이 폭포는 지도에 아메리칸 폭포라고 표기되어 있다.

그 쪽으로 나아가면, 천둥소리가 나듯 폭포수 떨어지는 굉음이 대단하다.

오른쪽으로 고개를 돌려보니 캐나다에 있는 나이아가라 폭포가 보인다.

이 폭포는 말발굽처럼 생겼다고 하여 말발굽(Horse Shoe) 폭포라고 부른다.

이 폭포는 수량이 더 많은지 폭포 한 가운데에 물보라 기둥이 솟아오른다.

참으로 장관이다.

물보라 기둥 쪽으로 관광객을 실은 배가 들어간다.

미국 쪽 나이아가라와 캐나다 쪽 나이아가라에서 떨어진 폭포수들이 합류하여 캐나다 쪽에서 볼 때 왼쪽으로 강을 이루며 흘러간다.

캐나다 쪽 나이아가라: 말발굽 폭포의 무지개

캐나다 나이아가라

이들 폭포는 모두 이리 호(Lake Erie)에서 온타리오 호수(Lake Ontario)쪽으로 흘러내리는 물이 만들어내는 폭포이다.

곧, 이리 호에서 온타리오 호 쪽으로 나이아가라 강이 흐르는데, 이 강 가운데에 미국 영토인 염소 섬(Goat Island)이 있고, 이 섬을 좌우로 흘러내린 물이 두 개의 나이아가라 폭포를 만드는 것이다.

미국 폭포는 폭이 320미터, 높이는 56미터이고, 매 분 1,400만 리터의 물을 쏟아 내리며, 캐나다 쪽 말발굽 폭포는 폭 675미터, 높이 54미터로 매 분 5,500만 리터의 물이 천둥소리를 내면서 낙하한다.

나이아가라 폭포는 아프리카의 빅토리아 폭포와 남미의 이과수 폭포와 함께 세계 삼대 폭포로 알려져 있는데, 일 년에 관광객이 1,200만 명이나 다녀간다고 한다.

염소 섬(왼쪽)과 말발굽 폭포

짚 라인 타는 청춘들

　빙하기 때 생성된 협곡으로 떨어지는 나이아가라 폭포는 커다란 꿍음소리와 함께 커다란 무지개도 만들어낸다.

　협곡 위에는 꽃밭이 조성되어 있고 그 좌우와 뒤로는 호텔과 음식점들이 있고, 놀이기구 타는 곳도 있다.

　폭포를 감상하고 있노라니 짚 라인(Zip Line)에 줄을 매달고 손을 활짝 벌린 채 낙하하는 젊은이들의 모습이 보인다. 그 너머로는 캐나다와 미국을 잇는 다리도 보이고.

　한편 낭떠러지 밑에서는 붉은 우비를 입고 배를 타고는 나이아가라 폭포의 물보라 속으로 들어가기 위한 선착장이 기다리고 있다.

　여기까지 와서 그냥 갈 수는 없다.

　이제 우리도 폭포 투어 표를 산다.

캐나다 나이아가라

표 값은 일인당 19.95 캐나다달러로서 둘이면 39.90달러인데, 여기에 5.19달러의 세금이 붙어 총 45.10캐나다 달러(약 4만 원)가 들었다.

자슥들, 경로 우대도 없구만!

표 사는 줄도 길기도 한다. 평일인데도 이렇게 사람이 많다.

드디어 표를 사 가지고 우리를 기다리는 선착장으로 이동한다.

스카이론

빨간 색 우비를 하나씩 들쳐 입고 배를 타려 기다린다.

왼쪽 위로는 캐나다와 미국을 잇는 다리인 무지개 다리(Rainbow International Bridge)가 가까이 보이고 앞쪽으로는 미국의 나아이가라 폭포가 굉음을 쏟아내고 있다. 오른쪽 절벽 위로는 조금 전 들려서 허기를 채운 식당

과 짚 라인, 그
리고 저 너머로
는 나이아가라의
랜드마크라 할
수 있는 스카이
론(Skylon)이라
는 탑이 보인다.

미국 폭포의 야경

　가까이서 보
는 나이아가라는
위에서 조망한
나이아가라와는
그 맛이 다르다.

　배는 서서히
폭포 속으로 들
어가고 우린 물
보라를 맞아가며
폭포를 감상한

나이아가라폴스 시내의 야경

다.

　올여름 물맞이는 이것으로 때웠다.

　폭포수가 떨어지는 강 위에는 갈매기들도 많다.

　요놈들은 폭포에서 떨어져 잠시 기절한 물고기들을 먹으려고 몰려
든 놈들이다.

　열심히 일하지 않고 떨어져 기절한 물고기를 냉큼냉큼 집어먹는

캐나다 나이아가라

갈매기들이 감나무 밑에서 입 벌리고 누워 있는 사람보다는 훨씬 현명하다.

다시 배에서 내려 절벽을 기어오르니 벌써 저녁 7시가 다 되었다. 이제 절벽 위에 조성되어 있는 꽃밭을 지나 스카이론으로 향한다. 이 탑에 올라 나이아가라의 야경을 감상하기 위해서다.

스카이론은 높이가 236미터인데, 전망대 위에 있는 식당은 360도 회전을 하는 까닭에 여기에서 폭포는 물론 나이아가라 폴스 시내의 야경을 감상할 수 있다.

스타이론 쪽으로 가며 보니 스카이론의 기둥 벽에는 노란색의 엘리베이터가 마치 무당벌레처럼 붙어서 기어 올라가는 것처럼 보인다.

스카이론에 오른다. 각자 20 캐나다 달러던가를

스카이론

말발굽 폭포의 야경

내고! 우리 돈으로는 약 35,000원 가량 든 셈이다.

여하튼 돈 많이 든다.

전망대에 올라 서쪽 창살 너머로 지는 해를 조망한다. 그리고는 전망대를 한 바퀴 돈다.

점점 나이아가라 폴스 시내의 건물들에는 불이 들어오고, 미국 폭포와 말발굽 폭포 쪽에도 조명이 비치기 시작한다.

조명은 붉은색, 노란색, 파란색 등 아마도 무지개 색깔을 나타내기 위한 것으로 보이나 별로 아름답게 느껴지지는 않는다.

오히려 조금 천박하다는 느낌이다. 그냥 그대로 놔두는 것이 더 나을 듯하다. 개인적 생각이지만.

40. 이거야말로 미친 짓이다.

2016년 8월 9일(화)

아침 일찍 호텔을 나와 차를 타고 무지개 다리를 건너 미국으로 건너 간다.

오늘은 미국 쪽에서 나이아가라를 감상하고 내려가며 뉴욕 주의 주립 공원들을 시찰(?)하는 것이 목적이다.

나이아가라 폭포에 오니 9시 조금 넘었다. 캐나다 쪽에서 보는 나이 아가라를 다시 한 번 보면서 무지개 다리를 건넌다.

차들이 많아 한참 걸린다.

약 1시간쯤 지나 미국으로 다시 입국하여 나이아가라폭포 주립공원으 로 들어선다.

나이아가라 폭포: 미국 폭포

나이아가라 폭포: 말발굽 폭포

나이아가라 강을 건너 일단 염소 섬으로 건너간다.

차를 세우고, 나이아가라의 말발굽 폭포 쪽으로 간다.

강 건너 쪽으로는 캐나다의 나이아가라 폴스 시내 건물이 보이고 왼쪽으로는 말발굽 폭포가, 오른쪽으로는 무지개가 떠 있는데, 저쪽 벼랑쪽으로 둘러 쳐놓은 울타리에는 사람들이 폭포를 완상하고 있다.

말발굽 폭포의 전경은 이쪽에서는 잘 안 보인다. 사람들이 모여 있는 울 가까이 가면 말발굽 폭포의 반 정도가 왼쪽으로 보인다.

한편 오른쪽으로는 미국 폭포와 폭포로 내려가는 엘리베이터 건물이 내려다보인다.

오른쪽으로 길을 잡아 미국 폭포 쪽으로 간다.

폭포 위에서 보는 나이아가라 강은 넓기는 한데 그리 깊지는 않은 듯싶다.

미국 나이아가라

나이아가라 폭포: 말발굽 폭포

이러한 물들이 흘러내리며 폭포와 무지개를 만드는 것이다.

위에서 보면 그저 평범한 강인데, 저쪽으로 흐르면서 어마어마한 폭포로 변한다는 것을 어찌 상상할 수 있겠는가?

우리는 그저 우물 안 개구리에 불과한 것이다. 바로 코앞의 폭포도 모르면서 여기에 폼을 잡고 있는 것이다.

어찌되었든 조금 더 나아가 바로 폭포 위에서 떨어지는 폭포수를 내려다보니 이 또한 장관이다.

나이아가라에는 다음과 같은 전설이 있다.

폭포 주변에 살던 인디언 부족인 이로쿼이(Iroquois)족은 '천둥소리가 나는 물'을 두려워하여, 매년 정해진 보름날 밤에 마을의 처녀 하나를 제비뽑기 식으로 뽑아 제물로 바쳤다고 하는데, 어느 날 추장의 딸이 제물로 선택되었다.

추장의 이름은 독수리 눈(Eagle Eye)이고, 엄마 없이 자란 외동딸의 이름은 레라-왈라(Lera-Wala)였다는데, 독수리 눈은 카누를 타고 이 외동딸의 손을 잡고 함께 나이아가라로 떨어졌다 한다.

이후 독수리 눈은 폭포의 신이 되었고, 딸 레라-왈라는 폭포가 만들어내는 물안개 속의 소녀(Maid of the Mist)가 되었다 한다.

제물이 된 딸의 두려움과 아픔을 함께 한 아버지의 절절한 마음이 폭포의 물안개와 함께 애절한 전설이 된 것이다.

한편, 이 폭포 밑에는 57미터 정도의 웅덩이가 있고, 폭포의 신인 독수리 눈과 그 부하들인 물귀신들이 집단적으로 살고 있다는 이야기도 있는데, 정말인지는 모르겠다.

나이아가라 폭포

미국 나이아가라

한편, 이 웅덩이에 정말 용궁이 있는지를 보기 위해서 일부러 떨어진 사람들도 있다던데…….

1901년 애니 테일러라는 여인은 이 폭포에서 떨어져 살아나면 부와 명성을 함께 얻을 것이라는 생각에 오크 통 속에 자신이 키우던 고양이와 함께 들어가 위험한 모험을 감행하여 성공하기는 하였지만, 돈과 명성은 얻지 못하고 계속 가난하게 살다 죽었다고 한다.

아마 인터넷이 발달된 지금이라면 돈과 명예를 누렸을지도 모르겠다만……., 시대를 잘못 타고 태어난 여인이다.

그렇지만 이 여인보다 더 억울한 것은 검은 고양이이다.

이 고양이야말로 오크 통에 탑승하고 싶어 탑승했겠는가?

오크 통에 들어갈 때는 검은 고양이였는데, 구조되어 나올 때는 흰

나이아가라 폭포: 미국 폭포

나이아가라 폭포가 만들어내는 무지개

고양이로 변했다는 이야기가 있다.

얼마나 무서웠음 털이 탈색이 되었을까?

고양이 주인 애니 역시 엄청 놀랐던 모양이다.

구사일생으로 구조된 후 요렇게 말했다 한다.

"이거야말로 미친 짓이다! 다시는 이런 미친 짓을 해서는 안 된다."

이러한 애니의 경고 말씀에도 불구하고, 그 뒤에도 수많은 인물들이 이러한 미친 짓을 감행하였다가 죽은 사람도 있고, 다행히 산 사람도 있고……

그래서 캐나다에선 나이아가라 폭포에서 신고하지 않고 다이빙하는 것을 금지시키는 법안을 통과시켰다 한다.

신고하지 않고 다이빙하면 벌금을 내야 하는데, 요즈음 벌금 액수도

나이아가라: 아메리칸 폭포

껑충 뛰어 살아난다 해도 10,000달러의 벌금을 물어야 한다고 하니 이 돈이 없으면 뛰어내릴 생각을 아예 접는 게 좋을 듯하다.

다시 폭포가 만들어내는 무지개를 보면서 염소 섬을 건너 나이아가라 폭포 전망탑(Niagara Falls Observation Tower)으로 간다.

돈을 내고 밑으로 내려가면 이 전설에 나오는 인디언 추장 딸을 가리키는 물안개 속의 소녀(Maid of the Mist)라는 이름의 보트를 타는 선착장이 나온다.

물론 우리는 어제 캐나다에서 배를 타고 하였던 까닭에 배는 안 타고 밑으로만 내려가 본다.

그리곤 푸른 비옷을 입고 폭포에 좀 더 가까이 다가가며 폭포를 보는 사람들을 폭포와 함께 사진에 잡아넣는다.

41. 동부의 그랜드 캐년이라구?

2016년 8월 9일(화)

이제 나이아가라를 출발하여 버펄로 시내를 지나 레치워스 주립공원 (Letchworth State Park)으로 간다.

레치워스 공원은 뉴욕 주 북서부에 있는 주립 공원인데, 제니시 (Genesee) 강을 따라 형성된 협곡이 볼 만하다.

이 공원 내부에는 50여개의 폭포가 있다고 하며, 특히 단풍이 유명하다지만, 지금은 단풍철이 아니고 50개의 폭포를 다 찾아볼 수는 없는 것이어서 그 가운데 가장 유명한 곳 몇 군데를 둘러본다.

공원으로 들어가니 협곡이 볼 만하다. 동부의 그랜드 캐년이라고 일컫는다지만, 그랜드 캐년하고는 물론 비교가 안 된다.

레치워스 주립공원의 협곡

미국 뉴욕

레치워스 주립공원의 협곡

레치워스 주립공원의 아래 폭포(Lower Fall)

41. 동부의 그랜드 캐년이라구?

한마디로,

"동부의 그랜드 캐년이라구? 순 뻥이다!"

그렇지만 구불구불한 협곡은 아기자기하고 볼 만하기는 하다.

정말로 그랜드 캐년이 멀리 떨어져 있기 천만다행이다. 그랜드 캐년을 가보지 않은 사람들에게는 이 말이 뻥이 아니고 그럴듯하게 들릴 지도 모른다.

레치워스 주립공원의 나무

협곡을 따라 난 숲길을 죽 따라보면 폭포가 나타난다. 아래 폭포 (Lower Fall)이라고 부르는 폭포인데, 그런대로 볼 만하다.

물론 나이아가라 폭포와 비교하면 안 돼지!

나이아가라를 보고 온 우리로서 큰 감흥은 없으나, 쉬어갈 만 하기는 하다.

그러니 나이아가라를 보기 전에 가봐야 한다.

미국 뉴욕

238

　　사실 이 공원의 협곡이나 폭포를 그랜드 캐년이나 나이아가라 폭포와 비교한다는 것 자체가 어불성설이지만, 그런대로 숲 가운데 난 가파른 협곡을 따라 강이 흐르고 그 강을 따라가다 보면 숲에 둘러싸인 폭포가 아담하고, 주변 경치가 괜찮은 편이니, 지나는 길에 한 번 쯤은 와 볼 만하다.

　　공원에서 나와 다시 남쪽으로 길을 잡는다.

　　가능하면 시간을 줄이기 위해 내일 아침 일찍 왓킨스-글렌(Watkins-Glen) 주립공원을 아침나절에 구경하기 위해 86번 고속도로상의 배스(Bath)에 여관을 잡는다.

42. 길을 잘 선택해야 하느니…….

2016년 8월 10일(수)

아침 일찍 여관을 나와 왓킨스-글렌 주립공원(Wakins-Glen State Park)으로 간다.

이 공원은 뉴욕 주 북서부의 핑거 레이크스(Finger Lakes) 지역의 대표적인 공원이다.

핑거 레이크스 지역은 뉴욕 주 북서부에 있는 길쭉길쭉한 호수들이 11개가 나란히 있어서 붙여진 이름이다. 이 호수들은 모두 강으로 연결되어 온타리오 호수로 흘러 들어간다.

이 호수들의 동쪽에는 시라큐스 행정대학원으로 유명한 시라큐스(Syracuse)라는 도시가 있고, 이 호수들 가운데 하나인 세네카 호(Lake

왓킨스-글렌 주립공원: 협곡

미국 뉴욕

240

Seneca)와 연결되어 있는 협곡이 왓킨스-글렌 주립공원이다.

이 공원은 거대한 빙하의 흐름을 통해 몇 천 년 동안 지질 변화가 이루어져 생성된 공원인데 입구가 둘이다. 하나는 왓킨스-글렌에 있는 주 입구(Main Entrance)이고 다른 하나는 이 공원의 서쪽에 있는 위 입구(Upper Entrance)이다.

우린 위 입구에서 차를 세워 놓고, 주 입구 쪽으로 트레일을 한다.

트레일 코스는 협곡을 따라 협곡 위로 걷는 1.8km의 인디안 트레일(Indian Trail)과 협곡 골짜기를 따라 걷는 2.4km의 고르지 트레일(Gorge Trail), 그리고 남쪽 테두리로 걷는 2.9km의 사우스 림 트레일(South Rim Trail)이 있는데, 우린 고르지 트레일을 선택하여 걷기 시작한다.

위 입구에서 트레일을 시작하면 처음 만나는 곳이 야곱의 사다리(Jacobs Ladder)이다.

협곡은 크지 않

왓킨스-글렌 주립공원: 협곡

고 비교적 좁은 편인데, 좌우에 있는 바위들이 깎여져 있는 것이 볼 만하다. 협곡은 넓어지다가 좁아지기도 하고, 커다란 웅덩이를 만들기도 하고, 때로는 폭포를 만들기도 한다.

우리는 주로 내리막길을 따라가지만, 가끔가다 올라가기도 하고, 때로는 컴컴한 굴속으로 들어갔다가 나오기도 하고, 폭포 뒤로

왓킨스-글렌 주립공원: 폭포

난 길을 따라 걷기도 하며 협곡을 감상한다.

협곡의 옆 바위들은 층이 지어 있으며, 부드럽게 구비치는 협곡 바닥으로는 물이 흐른다.

참으로 아기자기하고 구경하는 재미가 쏠쏠하다.

단지 아쉬운 것이 있다면, 협곡을 구성하는 바위들 색깔이 깨끗하지 않고 거무튀튀하다는 것과 그 바닥을 흐르는 물이 맑지 아니하고 탁하다

미국 뉴욕

왓킨스-글렌 주립공원

왓킨스-글렌 주립공원

42. 길을 잘 선택해야 하느니.....

는 것이다.

만약 바위가 대리석으로 되어 있다면, 그리고 협곡을 흐르는 물이 맑고 깨끗했다면 정말 트레일 코스로는 최고였을 텐데…….

그래도, 개인적 취향이지만, 레치워스 공원보다는 더 볼 만하다.

천천히 걸으면서 어느덧 주 입구(Main Entrance)에 도착한다.

주 입구는 굴로 되어 있는데, 1900년대

왓킨스-글렌 주립공원

초에 손으로 깎아 만든 이 굴을 지나 나오니 주 입구의 주차장이 나타난다.

오랜만에 힘들지 않게 참 잘 걸었다.

협곡을 따라 나오면서 느낀 것은 "길을 잘 선택해야 한다."는 것이다. 그것이 등산로이든, 인생의 길이든!

우리는 위 입구에서 차를 세워놓고 힘 안들이고 내리막길을 여유 있게 걸어 주 입구에 도착하였지만, 아래의 주 입구에서 위 입구 쪽으로 오르는 사람들은 땀을 뻘뻘 흘리며 힘들어 한다.

미국 뉴욕

이를 보니, 우리의 선택이 정말 잘 된 것이라는 것을 느낀다.

이 공원에 오시는 분들께 팁을 하나 드린다면, 처음부터 주 입구로 가지 마시고, 위 입구로 가서 트레일을 시작하는 것이 훨씬 편하다는 것이다.

주 입구와 위 입구 사이에는 버스가 다니니까 나중에 버스를 타고 위 입구로 편하게 가면 된다.

물론 좀 더 신체 단련을 위해 운동을 해야 한다고 생각하시는 분들이나, 자신의 몸을 학대하고 싶으신 분들은 주 입구에서 위 입구로 가는 트레일 코스를 선택하셔도 말리진 않겠다.

자신의 목적에 따라 길을 선택하면 되는 것이니깐.

버스를 타고 다시 위 입구로 간다.

왓킨스-글렌 주립공원: 웅덩이

왓킨스-글렌 주립공원: 주 입구

　말 그대로 위 입구는 위에 있으니까 버스는 굽이굽이 고갯길을 따라 올라가는데 우린 주변 경치를 감상하며 편하게 간다. 위 입구에서 차를 타고 이제 뉴저지로 떠난다.

　오후 7시쯤 뉴저지에 있는 주내의 대학 친구 부부를 만나 저녁을 먹는다.

　오래된 옛 친구를 만나는 것은 즐거운 일이다. 더욱이 머나먼 이국땅에서라면 더욱 더.

　옛 친구들과 옛 이야기에 시간은 더 빨리 흐른다.

　그리고는 승아네 집으로 오니 10시가 넘었다.

　20여 일만에 돌아온 할머니와 할아버지를, 잠도 자지 않고 기다리던 승아가 반겨 맞는다.

미국 뉴욕

43. 참 좋을 때다.

2016년 8월 12일(금)

밝은이와 지혜, 그리고 승아를 데리고 천 섬(Thousand Island)으로 가족 여행을 떠난다.

지금까지 사는 동안 변변한 가족 여행 한 번 제대로 하지 못했기 때문에 밝은이 휴가 기간 동안에 며칠 동안 다녀오기로 한 것이다.

이제 한국으로 돌아가면 당분간 승아를 보지 못할 텐데, 요 녀석이 할아버지 할머니 기억을 잃어버리면 어쩌나 하는 마음도 조금은 작용한 것이다.

아이들은 부쩍 부쩍 큰다. 그러면서 특별한 일이 아닌 옛 기억은 잘 잊어버린다.

그러니 승아에게 특별한 기억을 만들어줄 수 있기를 기대하며 여행을 떠나는 것이다.

소거티스 비치에서

알바니 주 청사

아침 10시 출발하여 1시간쯤 팰리세이즈 인터스테이트 파크웨이로 달리다가 허드슨 강 너머를 전망하는 알파인 전망대에서 잠시 쉬어간다.

다시 또 1시간쯤 가서 쉰다. 소거티스(Saugerties)라는 자그마한 도시이다.

소거티스로 들어가는 빨간 다리를 넘어 왼쪽으로 소거티스 비치가 보인다. 잔디 위에 아이들이 놀 수 있는 시설이 갖추어져 있다.

승아는 목말을 타고 흔들흔들 신이 나 있다.

강변 경치는 그런대로 봐줄 만하다.

한참을 뛰어 놀다 다시 알바니(Albany)로 향한다.

밝은이가 예약해 놓은 레드 카펫 인에서 체크인을 하고, 알바니 시내 구경을 한다.

미국 뉴욕

알바니 시청

달걀

43. 참 좋을 때다.

알바니는 뉴욕 주의 주도이고, 뉴욕주립대학이 있는 곳이다.

큰 도시는 아니지만, 도시는 깨끗하고 맘에 든다.

다운타운의 건물들을 둘러본다. 나름의 역사를 품고 있는 옛 건물들과 현대식 건물들이 조화롭게 공존하고 있다.

워싱턴 애버뉴를 따라 뉴욕 주 교육부, 뉴욕 주 청사, 알바니 시청, 세인트 메리스 처치, 세인트 피터스 성공회 성당, 뉴욕 주립 대학, 뉴욕 주립 박물관, 엠파이어 스테이트 플라자 등의 건물을 수박겉핥기 식으로 보다가 차를 세우고 사진을 찍는다.

뉴욕 주 청사는 미국의 주정부 청사 가운데 가장 큰 청사라 한다.

그저 이리저리 찻길을 따라 돌다보니 반원형의 커다란 조형물이 눈에 보인다.

웨스트 캐피탈 파크

미국 뉴욕

제목은 달걀(The Egg)이다. 이 달걀은 현대 예술 공연장이란다.

이 달걀을 통해 엠파이어 스테이트 플라자로 들어가면 모든 건물이 연결되어 있는데, 그 가운데 코닝 탑(Corning Tower)에서는 무료로 전망대까지 올라갈 수 있고 여기에서는 알바니 시내를 전망할 수 있다.

승아는 밝은이와 지혜와 할머니와 주청사 뒤에 있는 웨스트 캐피탈 공원에서 뛰노느라고 정신이 없다.

참 좋을 때다.

이 세상이 승아 세상이다.

44. 내가 수양이 잘 된 까닭 아닐까?

2016년 8월 13일(토)

10시쯤 알바니를 출발하여 이제 천 개의 섬이 있는 곳으로 간다.

천 섬 못 미쳐 워터타운(Watertown)에 도착한 것은 오후 1시가 넘어서였다.

일단 워터타운에 있는 호텔에 방을 잡아 놓고 점심을 먹은 후 천 섬으로 향한다.

일단 알렉산드리아 만(Alexandria Bay)의 부둣가로 간다.

벌써 3시 가까이 되었다.

승아는 무엇이 그리 좋은지 함박웃음을 띠면서 부두 위를 달려간다. 같이 웃으면서 사진도 찍고, 시간 가는 줄 모른다.

행복

미국 뉴욕

승아

삼대가 모여 이런 시간을 가지는 것은 하늘이 준 축복이요 행운이다.

하느님께 감사한다.

천섬을 구경하는 배는 4시 반에 출발한다.

배를 타고 세인트 로렌스 호수 위를 달린다.

이 호수는 미국과 캐나다의 국경 사이에 있는 기다란 호수로서 왼쪽 아래로는 온타리아 호와 연결되어 있고 북동쪽으로 흘러 대서양으로 들어간다.

이 호수에는 천 개의 섬이 있다고 하여 이들을 천 섬(Thousand Island)라고 부르는데, 이들 섬들은 대부분 세계의 부자들이 사 가지고 예쁘고 이상한 별장들을 지어 놓은 곳으로 유명하다.

약 80km에 걸쳐 정확하게는 1,865개의 자그마한 섬들이 있다는데,

볼트 캐슬

천섬: 어떤 집

미국 뉴욕

254

인디언들은 이곳을 '신의 정원'이라고 불렀다 한다.

이곳 관광이란 부자가 되지 못한 사람들이 유람선을 타고 이 별장들을 구경하는 것이다.

우리도 예외는 아니다.

별장 가운데에는 섬에 상륙을 허가해주고 그 안을 구경시켜주는 곳도 있다.

물론 돈 받고!

부자라고 그냥 공짜로 우리 집을 구경하세요라고는 절대 안 한다. 그래야 부자가 되는 법이다.

우린 하나를 보면, 열을 안다.

여하튼 큰 섬, 작은 섬, 섬은 많은데 섬마다 별장을 지어 놓았다.

천섬: 어떤 집

44. 내가 수양이 잘 된 까닭 아닐까?

천섬: 어떤 집

　어떤 것은 중세의 성처럼 지은 곳도 있고, 어떤 것은 섬이 작아 마치 물위에 자그마한 단칸 방 집이 떠 있는 듯하기도 하다.

　이런 저런 집들을 겉만 감상하지만, 그렇게 부럽지는 않다.

　왜 그럴까? 자존심 때문일까? 물질에 가치를 두지 않는 겸허한 마음 때문일까?

　가만히 그 원인을 생각해보니, 내가 물질에 가치를 두지 않는 것은 아니니 시기심을 감추려는 자존심도 조금은 작용한 듯하나, 무엇보다도 근본 원인은 내가 수양이 잘 된 까닭 아닐까?

　여하튼 선창에서 바람을 맞으며 이집 저집 기웃기웃 구경하는 것도 복이라면 복이다.

　저거 관리하려면 돈 좀 들 꺼야! 비가 와서 호수 물이 넘치면 저 집 이 떠내려갈 수도 있지 않을까?

미국 뉴욕

승아

우린 그런 걱정 안 해도 되구 이렇게 구경만하니 진짜 행복한 건 우리 아닌감?

배는 캐나다와 미국을 잇는 다리 밑을 지나 계속 나아간다.

승아는 계속 재롱을 떤다.

날씨는 흐린데, 가끔 빗방울이 떨어지기도 한다.

햇빛에 타는 것을 염려하는 주내에겐 썩 좋은 날씨지만, 사진 찍는 나에게는 별로인 날씨다.

약 두 시간 동안 뱃놀이를 즐기고 이제 배에서 내린다.

차를 타고 이제는 워터타운의 호텔로 돌아간다.

돌아가는 길에 천 섬 양조장(Thousand Island Winery)에 들린다.

참새가 방앗간을 지나가랴!

이런 데가 있으면, 반드시 시음을 해 봐야 한다.

우린 이런 의무감에는 늘 충실하다.

45. 행복을 타고 난 아이

아침부터 승아는 호텔 수영장에서 물놀이에 한창이다.

즐겁게 노는 아이를 빨리 가자고 재촉할 수는 없는 일이다. 아니 재촉할 필요도 없구 이유도 없다. 가족 여행이고, 놀러 온 것이니 손녀가 잘 노는 걸 보는 것도 행복이기 때문이다.

승아는 행복을 타고 난 아이다. 행복을 몰고 다닌다.

실컷 놀고나서 느지막이 체크아웃을 한 후, 이제 워터타운에서 3번 도로를 타고 동쪽으로 향한다.

이 길을 선택한 것은 이 길이 지도에 아름다운 길로 표시되어 있기 때문이다.

물놀이

미국 뉴욕

터퍼 레이크

이 길은 산 속으로 난 길이어서 구불구불하기는 하지만, 곳곳에 빙하가 침식된 호수들이 있어 경치는 아름답다.

오후 2시쯤 터퍼 레이크(Tupper Lake)에 도착한다.

호숫가에 어린이 놀이터가 있다. 역시 승아 세상이다.

그네도 타고 미끄럼틀도 타고 어디에서 그런 에너지가 나오는지 노는 데 열중한다.

누구든 열중하는 모습은 아름답다. 노는 것이든 공부하는 것이든!

다시 터퍼 레이크에서 남쪽으로 길을 잡아 글렌스 폴스(Glens Falls)로 간다.

글렌스 폴스라는 이름 때문에 무슨 폭포를 구경할 수 있으려나 하는 기대 때문에 가봤지만……

폭포 구경은 못했다.

46. 사랑하는 가족들과

2016년 8월 15일(월)

호텔을 나와 타코닉 주립공원(Taconic State Park)으로 간다.

타코닉 주립 공원에 차를 세운 뒤 천천히 걸어서 산을 올라간다. 이 길을 따라 가면 폭포가 볼 만하다는 말을 들었기 때문이다.

숲 사이로 난 길을 따라 약 1.5km쯤 가니, 두 줄기 폭포가 보인다.

폭포에는 사람들이 웃통을 벗고 반바지 차림으로 물에 들어가거나 바위에 앉아 있다.

표지판을 보니 배쉬 비쉬 폭포 (Bash Bish Falls)이다.

이 폭포가 위치한 곳은 매사추세츠 주의 배쉬 비쉬 폴스 주립공원

베쉬 비쉬 폭포

미국 뉴욕

이다 들어오기는 뉴욕 주의 타코닉 주립공원으로 들어왔지만, 숲속으로 난 길을 따라 약 1.5km 걷는 동안 주 경계선을 넘어 배쉬 비쉬 주립공원으로 들어온 것이다.

어쨌거나 폭포는 자그마하나 두 줄기로 물이 흘러내리고 있고, 사람들은 그걸 즐거워한다.

승아도 물가로 내려가 한껏 폼을 잡는다.

뭐, 폭포가 웅장하거나 거룩하지는 않지만, 그런대로 자그마하니 주변 경치와 어우러진다.

폭포에서 한동안 놀다가 다시 타코닉 주립공원으로 향한다.

내려가는 길은 커다란 나무에 쌓여있는 비교적 넓적한 길이어서 승아를 데리고 걷는 데에는 딱 좋다.

왼쪽으로는 베

베쉬비쉬 폭포

타코닉 주립공원 숲길

쉬 비쉬 개울이 <u>흐르고</u>.

얼마 안 가 승아는 미련이 남았는지 다시 개울로 내려가고 싶어 한다.

그래 놀아라!

승아를 위해 하는 여행인디…….

승아는 개울가로 가서 발을 적시며 논다.

세상이 평화롭다.

그리고는 다시 공원을 나와 이제 집으로 향한다.

집에 오니 오후 5시밖에 안 되었다. 3박 4일 동안 사랑하는 가족들과 잘 놀다 온 것이다.

즐거움은 언제나 슬픔의 싹을 품고 있다. 마치 한 여름에 다가올 겨

미국 뉴욕

울이 조금씩 싹트는 것처럼.

잘 놀았으니 그것으로 된 것이다.

그리운 이들을 만났으니, 그리고 즐거움을 얻었으니, 헤어짐이 잉태하는 막막한 서글픔은 이제 우리가 감당해야 할 몫이다.

이별은 또 다른 만남을 전제하기에 우린 가슴에 이는 잔잔한 슬픔을 감내할 수 있는 것이다.

인생은 만남과 헤어짐, 그리고 헤어짐과 만남의 연속일 뿐!

이제 내일 하루는 쉬며 이별을 준비해야 한다, 모레는 귀국해야 하니까.

〈미국-캐나다 여행 끝〉

추기

이 여행기 〈미국여행기 3〉은 자연 풍광도 물론 포함되지만, 주로 사랑하는 가족과 친구들을 만나며 느낀 행복을 기술한 것이라면, 이전에 출간한 〈미국 여행기 1, 2〉는 주로 자연을, 특히 신기한 자연의 풍광을 주로 즐기며 소개했던 여행기이다.

〈미국 여행기 1〉은 2000년-2001년 버클리 대학에 교환교수로 가 있는 동안 틈틈이 샌프란시스코와 인근 도시들, 요세미티, 모노 레이크, 라센, 옐로우스톤, 라스베가스, 그랜드 캐년 등 그 주변의 많은 캐년들, 데스밸리, 그리고 하와이를 여행한 경험담들을 다루었고, 〈미국 여행기 2〉는 요세미티, 데스밸리를 거쳐 라스베가스에서 얼마 안 떨어진 주립공원이지만 국립공원 못지않은 경치를 보여주는 불의 계곡을 거쳐 세다브레이크, 글렌 캐년, 모누먼크 밸리, 신의 계곡, 내처럴 브리지, 캐피탈 리프, 카이네빌, 캐년랜드, 아치 국립공원, 캐년 드 챌리, 화석숲 국립공원, 조수아 국립공원 등을 돌아보고, 남쪽으로 팜 스프링스와 샌디에고를 거쳐 다시 북상하여 로스엔젤레스의 비버리힐스 등을 소개한 것이다.

미국 여행을 계획하시는 분들은 참고하시기 바란다.

미국 뉴욕

책 소개

  * 여기 소개하는 책들은 **주문형 도서(pod: publish on demand)**이므로 시중 서점에는 없습니다. 교보문고나 부크크에 인터넷으로 주문하시면 4-5일 걸려 배송됩니다.

http//kyobobook.co.kr/ 참조.

http://www.bookk.co.kr/store/newCart 참조.

여행기(칼라판)

〈일본 여행기 1: 대마도 규슈〉 별 거 없다데스! 부크크. 2020. 국판 칼라 202쪽. 14,600원.

〈일본 여행기 2: 고베 교토 나라 오사카〉 별 거 있다데스! 부크크. 2020. 국판 칼라 180쪽. 13,700원.

〈타이완 일주기 1: 타이베이 타이중 아리산 타이난 가오슝〉 자연이 만든 보물 1. 부크크. 2020. 국판 칼라 208쪽. 14,900원.

〈타이완 일주기 2: 헝춘 컨딩 타이동 화롄 지룽 타이베이〉 자연이 만든 보물 2. 부크크. 2020. 국판 칼라 166쪽. 11,220원.

〈동남아시아 여행기: 태국 말레이시아〉 우좌! 우좌! 부크크. 2019. 국판 칼라 234쪽. 16,200원.

〈인도네시아 기행〉 신(神)들의 나라. 부크크. 2019. 국판(칼라) 132쪽. 12,000원.

〈마다가스카르 여행기〉 왜 거꾸로 서 있니? 부크크. 2019. 국판 칼라 276쪽. 21,300원.

〈러시아 여행기 1부: 아시아〉 시베리아를 횡단하며. 부크크. 2019. 국판 칼라 296쪽. 24,300원.

〈러시아 여행기 2부: 모스크바 / 쌩 빼쩨르부르그〉 문화와 예술의 향기. 부크크. 2019. 국판 칼라 264쪽. 19,500원.

〈러시아 여행기 3부: 모스크바 / 모스크바 근교〉 동화 속의 아름다움을 꿈꾸며. 부크크. 2019. 국판 칼라 276쪽. 21.300원.

〈유럽여행기 1: 서부 유럽 편〉 몇 개국 도셨어요? 부크크. 2020. 국판 칼라 280쪽. 21,900원.

〈유럽여행기 2: 북유럽 편〉 지나가는 것은 무엇이든 추억이 되는 거야. 부크크. 2020. 국판 칼라 280쪽. 21,900원.

〈유럽 여행기: 동구 겨울 여행〉 집착이 삶의 무게라고. 부크크. 2019. 국판 칼라 280쪽. 21,900원.

〈북유럽 여행기: 스웨덴-노르웨이〉 세계에서 제일 아름다운 곳. 부크크. 2019. 국판 칼라 256쪽. 18,300원.

〈포르투갈 스페인 여행기〉 이제는 고생 끝. 하느님께서 짐을 벗겨 주셨노라! 부크크. 2020. 국판 칼라 200쪽. 14,500원.

〈조지아, 아르메니아 여행기 1〉 코카사스의 보물을 찾아 1. 부크크. 2020. 국판 칼라 184쪽. 13,900원.

〈조지아, 아르메니아 여행기 2〉 코카사스의 보물을 찾아 2. 부크크. 2020. 국판 칼라 182쪽. 13,800원.

〈조지아, 아르메니아 여행기 3〉 코카사스의 보물을 찾아 3. 부크크. 2020. 국판 칼라 192쪽. 14,200원.

〈중앙아시아 여행기 1: 카자흐스탄, 키르기스스탄〉 천산이 품은 그림 1. 부크크. 2020. 국판 칼라 182쪽. 13,800원.

〈중앙아시아 여행기 2: 카자흐스탄, 키르기스스탄〉 천산이 품은 그림 2. 부크크. 2020. 국판 칼라 180쪽. 13,700원.

〈시리아 요르단 이집트 기행〉 사막을 경험하면 낙타 코가 된다. 부크크. 2019. 국판 268쪽. 14,600원.

〈미국 여행기 1: 샌프란시스코, 라센, 옐로우스톤, 그랜드 캐년, 데스 밸리, 하와이〉 허! 참, 이상한 나라여! 부크크. 2020. 국판 칼라 328쪽. 27,700원.

〈미국 여행기 2: 캘리포니아, 네바다, 유타, 아리조나, 오레곤, 워싱턴〉 보면 볼수록 신기한 나라! 부크크. 2020. 국판 칼라 278쪽. 21,600원.

〈미국 여행기 3: 미국 동부, 남부. 중부, 캐나다 온타리오 주〉 그리움을 찾아서. 부크크. 2020. 국판 칼라 288쪽. 23,100원.

〈멕시코 기행〉 마야를 찾아서. 부크크 2020. 국판 칼라 298쪽. 24,600원.

〈페루 기행〉 잉카를 찾아서. 부크크 2020. 국판 칼라 250쪽. 17,000원.

〈남미 여행기 1: 도미니카 콜롬비아 볼리비아 칠레〉 아름다운 여행. 부크크. 2020. 국판 칼라 266쪽. 19,800원.

〈남미 여행기 2: 아르헨티나 칠레〉 파타고니아와 이과수. 부크크. 2020. 국판 칼라 270쪽. 20,400원.

〈남미 여행기 3: 브라질 스페인 그리스〉 순수와 동심의 세계. 부크크. 2020. 국판 칼라 252쪽. 17,700원.

여행기(흑백판)

〈중국 여행기 1: 북경, 장가계, 상해, 항주〉 크다고 기 죽어? 교보문고 퍼플. 2017. 국판 211쪽. 9,000원.

〈중국 여행기 2: 계림, 서안, 화산, 황산, 항주〉 신선이 살던 곳. 교보문고 퍼플. 2017. 국판 304쪽. 11,800원.

〈베트남 여행기〉 천하의 절경이로구나! 교보문고 퍼플. 2019. 국판 210쪽. 8,600원.

〈태국 여행기: 푸켓, 치앙마이, 치앙라이〉 깨달음은 상투의 길이에 비례한다. 교보문고 퍼플. 2018. 국판 202쪽. 10,000원.

〈동남아 여행기 1: 미얀마〉 벗으라면 벗겠어요. 교보문고 퍼플. 2018. 국판 302쪽. 11,800원.

〈동남아 여행기 2: 태국〉 이러다 성불하겠다. 교보문고 퍼플. 2018. 국판 212쪽. 9,000원.

〈동남아 여행기 3: 라오스, 싱가포르, 조호바루〉 도가니와 족발. 교보문고 퍼플. 2018. 국판 244쪽. 11,300원.

〈터키 여행기 1〉 허망을 일깨우고. 교보문고 퍼플. 2017. 국판 235쪽. 9,700원.

〈터키 여행기 2〉 잊혀버린 세월을 찾아서. 교보문고 퍼플. 2017. 국판 254쪽. 10,200원.

여행기(전자출판)

〈일본 여행기 1: 대마도, 규슈〉 별 거 없다데스!. 부크크. 2019. 전자출판 2,000원.

〈일본 여행기 2: 오사카 교토, 나라〉 별 거 있다데스!. 부크크. 2019. 전자출판 2,000원.

〈중국 여행기 1: 북경, 장가계, 상해, 항주〉 크다고 기 죽어? 부크크. 2019. 전자출판. 2,000원.

〈중국 여행기 2: 계림, 서안, 화산, 황산, 항주〉 신선이 살던 곳. 부크크. 2019. 전자출판. 2,000원.

〈타이완 일주기〉 자연이 만든 보물 1. 부크크. 2019. 전자출판 2,000원.

〈타이완 일주기〉 자연이 만든 보물 2. 부크크. 2019. 전자출판 1,500원.

〈동남아 여행기 1: 미얀마〉 벗으라면 벗겠어요. 부크크. 2019. 전자출판. 2,000원.

〈동남아 여행기 2: 태국〉 이러다 성불하겠다. 부크크. 2019. 전자출판. 2,000원.

〈동남아 여행기 3: 라오스, 싱가포르, 조호바루〉 도가니와 족발. 부크크. 2019. 전자출판. 2,000원.

〈동남아 여행기 1: 수코타이, 파타야, 코타키나발루〉 우좌! 우좌! 부크크.
　　2019. 전자출판. 2,000원.

〈태국 여행기: 푸켓, 치앙마이, 치앙라이〉 깨달음은 상투의 길이에 비례
　　한다. 부크크. 2019. 전자출판. 2,000원.

〈인도네시아 기행〉 신(神)들의 나라. 부크크. 2019. 전자출판. 2,000원.

〈중앙아시아 여행기 1: 카자흐스탄, 키르기스스탄〉 천산이 품은 그림 1.
　　부크크. 2019. 전자출판 2,000원.

〈중앙아시아 여행기 2: 카자흐스탄, 키르기스스탄〉 천산이 품은 그림 2.
　　부크크. 2019. 전자출판 2,000원.

〈조지아, 아르메니아 여행기 1〉 코카사스의 보물을 찾아 1. 부크크. 2019.
　　전자출판 2,000원.

〈조지아, 아르메니아 여행기 2〉 코카사스의 보물을 찾아 2. 부크크. 2019.
　　전자출판 2,000원.

〈조지아, 아르메니아 여행기 3〉 코카사스의 보물을 찾아 3. 부크크. 2019.
　　전자출판 2,000원.

〈러시아 여행기 1부: 아시아 편〉 시베리아를 횡단하며. 부크크. 2019. 전
　　자출판 2,500원.

〈러시아 여행기 2부: 모스크바 / 쌩 빼쩨르부르그〉 문화와 예술의 향기.

부크크. 2019. 전자출판 2,500원.

〈러시아 여행기 3부: 모스크바 / 모스크바 근교〉 동화 속의 아름다움을 꿈꾸며. 부크크. 2019. 전자출판 2,500원.

〈북유럽 여행기: 스웨덴-노르웨이〉 세계에서 제일 아름다운 곳. 부크크. 2019. 전자출판 2,500원.

〈유럽 여행기: 동구 겨울 여행〉 집착이 삶의 무게라고. 부크크. 2019. 전자출판 3,000원.

〈터키 여행기 1〉 허망을 일깨우고. 부크크. 2019. 전자출판 2,500원.

〈터키 여행기 2〉 잊혀버린 세월을 찾아서. 부크크. 2019. 전자출판 2,500원.

〈시리아 요르단 이집트 기행〉 사막을 경험하면 낙타 코가 된다. 부크크.. 2019. 전자출판 2,500원.

〈마다가스카르 여행기〉 왜 거꾸로 서 있니? 부크크. 2019. 전자출판. 2,500원.

〈미국 여행기 1: 샌프란시스코, 라센, 옐로우스톤, 그랜드 캐년, 데스 밸리, 하와이〉 허! 참, 이상한 나라여! 부크크. 2020. 전자출판. 3,000원.

〈미국 여행기 2: 캘리포니아, 네바다, 유타, 아리조나, 오레곤, 워싱턴〉 보면 볼수록 신기한 나라! 부크크. 2020. 전자출판. 2,500원.

〈미국 여행기 3: 미국 동부, 남부. 중부, 캐나다 온타리오 주〉 그리움을 찾아서. 부크크. 2020. 전자출판. 2,500원.

〈남미 여행기 1: 도미니카 콜롬비아 볼리비아 칠레〉 아름다운 여행. 부크크. 2020. 전자출판. 2,000원.

〈남미 여행기 2: 아르헨티나 칠레〉 파타고니아와 이과수. 부크크. 2020. 전자출판. 2,000원.

〈남미 여행기 3: 브라질 스페인 그리스〉 순수와 동심의 세계. 부크크. 2020. 전자출판. 2,000원.

〈멕시코 기행〉 마야를 찾아서. 부크크 2020. 전자출판. 3,000원.

〈페루 기행〉 잉카를 찾아서. 부크크 2020. 전자출판. 2,500원.

〈포르투갈 스페인 여행기〉 이제는 고생 끝. 하느님께서 짐을 벗겨 주셨노라! 전자출판. 2,500원.

우리말 관련 사전 및 에세이

〈우리 뿌리말 사전: 말과 뜻의 가지치기〉. 개정판. 교보문고 퍼플. 2016. 국배판 729쪽. 49,900원.

〈우리말의 뿌리를 찾아서 1〉 코리아는 호랑이의 나라. 교보문고 퍼플.
2016. 국판 240쪽. 11,400원.

〈우리말의 뿌리를 찾아서 1〉 코리아는 호랑이의 나라. e퍼플. 2019. 전
자출판 247쪽. 4,000원.

〈우리말의 뿌리를 찾아서 2〉 아내는 해와 같이 높은 사람. 교보문고 퍼
플. 2016. 국판 234쪽. 11,100원.

〈우리말의 뿌리를 찾아서 3〉 안데스에도 가락국이……. 교보문고 퍼플.
2017. 국판 239쪽. 11,400원.

수필: 삶의 지혜 시리즈

〈삶의 지혜 1〉 근원(根源): 앎과 삶을 위한 에세이. 교보문고 퍼플. 2017.
국판 249쪽. 10,100원.

〈삶의 지혜 2〉 아름다운 세상, 추한 세상 어느 세상에 살고 싶은가요?
교보문고 퍼플. 2017. 국판 251쪽. 10,100원.

〈삶의 지혜 3〉 정치와 정책. 교보문고. 퍼플. 2018. 국판 296쪽. 11,500
원.

〈삶의 지혜 4〉 미국의 문화, 교보문고 퍼플. 근간.

기타 쓴 이가 권하는 책

4차 산업사회와 정부의 역할. 부크크, 2020. 국판 84쪽. 종이책 8,200원
/e-book 2,000원. ISBN 979-11-372-0947-3(종이책)/979-11-37
2-0948-0(e-book).

지은이 소개

- 송근원- 대전 출생

- 여행을 좋아하며 우리말과 우리 민속에 남다른 애정을 가지고 있음.

- e-mail: gwsong51@gmail.com

- 저서: 세계 각국의 여행기와 수필 및 전문서적이 있음